BERLIN

EN QUELQUES JOURS

ANDREA SCHULTE-PEEVERS

Berlin en quelques jours
1re édition, traduit de l'ouvrage *Berlin Encounter, (1st edition), September 2007*

Traduction française :
© Lonely Planet 2008,
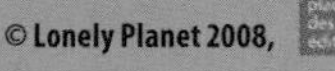
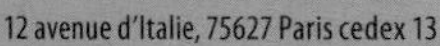
12 avenue d'Italie, 75627 Paris cedex 13
☎ 01 44 16 05 00
lonelyplanet@placedesediteurs.com
www.lonelyplanet.fr

Dépôt légal : Mars 2008
ISBN 978-2-84070-687-8

Responsable éditorial Didier Férat
Coordination éditoriale Émilie Lézénès
Coordination graphique Jean-Noël Doan
Maquette Gudrun Fricke
Cartographie Nicolas Chauveau
Couverture Jean-Noël Doan et Pauline Requier
Traduction Dominique Lavigne, Mélanie Marx
Merci à Véronique Boismartel pour son travail sur le texte

Photographies p. 26, p. 27, p. 28 © www.visitberlin.de. Lonely Planet Images et David Peevers excepté p14, Rick Gerharter ; p. 25, p. 154, p. 164, p. 171 Guy Moberly ; p. 64, p. 85, p. 112 Martin Moos ; p. 19, p. 22, p. 140, p. 158, p. 159 Richard Nebesky

Photographie de couverture Serveurs au Reingold bar, Mitte, Richard Nebesky/LPI

Imprimé par Leo Paper
Imprimé en Chine
Réimpression 02, septembre 2008

COMMENT UTILISER CE GUIDE

Codes couleur et cartes

Des symboles de couleur représentant les sites et les établissements figurent dans les chapitres et sont reportés sur les cartes correspondantes afin de les localiser rapidement. Les restaurants, par exemple, sont indiqués par une fourchette verte. À chaque quartier correspond une couleur spécifique, reprise dans les onglets du chapitre qui lui est consacré.

Les zones en jaune sur les cartes désignent des "secteurs dignes d'intérêt" (sur le plan historique ou architectural, ou encore par la présence de bars et de restaurants, etc.). Nous vous conseillons vivement de les explorer.

Prix

Les différents prix (par ex : 10/5 € ou 10/5/20 €) correspondent aux tarifs adulte/enfant, normal/réduit ou adulte/enfant/famille.

Vos réactions ? Vos commentaires nous sont très précieux et nous permettent d'améliorer constamment nos guides. Notre équipe lit toutes vos lettres avec la plus grande attention et prend en compte vos remarques pour les prochaines mises à jour.

Pour nous faire part de vos réactions, prendre connaissance de notre catalogue et vous abonner à Comète, notre lettre d'information, consultez notre site web : ***www.lonelyplanet.fr***

Nous reprenons parfois des extraits de notre courrier pour les publier dans nos produits, guides ou sites web. Si vous ne souhaitez pas que vos commentaires soient repris ou que votre nom apparaisse, merci de nous le préciser. Pour connaître notre politique en matière de confidentialité, connectez-vous à : ***www.lonelyplanet.fr/_html/confidentialite***

ANDREA SCHULTE-PEEVERS

Depuis qu'elle a exploré la ville quelques mois seulement après la chute du Mur, Andrea est fascinée par le caractère mythique de Berlin. Elle y est retournée de nombreuses fois par la suite et a vu la ville quitter son air maussade de guerre froide et s'épanouir en une excitante et confiante métropole internationale. Andrea, qui est née et a grandi en Allemagne, partage aujourd'hui sa vie entre Berlin et Los Angeles, où elle a obtenu son diplôme de l'UCLA (University of California, Los Angeles). Sa carrière d'auteur de guides de voyages l'a menée dans une soixantaine de pays et elle a participé à une trentaine de Lonely Planet, dont les cinq éditions de *Berlin* et le guide *Allemagne*.

REMERCIEMENTS

Ce livre est dédié à Tom Parkinson, mon intrépide et dévoué coauteur de *Berlin*, qui nous a soudain quittés début 2007. Tom nous manque beaucoup à tous.

Un immense merci à Henrik Tidefjärd, l'ami génial sans qui Berlin – et ce livre – ne seraient pas ce qu'ils sont. Je dois aussi beaucoup à Ralf Ostendorf, Natascha Kompatzki, Thilo Schmied, Nina et Torsten Römer qui, tous, m'ont fait partager leurs secrets sur la ville et leurs bonnes adresses. Merci à Christina Rasch et Holm Friedrich et à toute l'équipe de Lonely Planet qui a consacré son talent à la création de ce remarquable guide. Enfin, de tout mon cœur, je remercie David, mon "soldat" toujours fidèle.

PHOTOGRAPHE

David Peevers (www.peevers-la.com) est un photographe, écrivain et aventurier dont les photos sont souvent parues dans les guides de Lonely Planet, ainsi que dans nombre d'ouvrages et sites Internet à travers le monde. Il a été, entre autres, moniteur de kayak en eaux vives, navigateur sur la grande bleue, éditeur d'art pour les œuvres de tribus indiennes et directeur des projets au *Los Angeles Business Journal*. Citoyen des États-Unis et d'Irlande, il vit depuis 1984 à Los Angeles avec Andrea Schulte-Peevers, son épouse. Sous peu, ils s'installeront dans leur ville préférée, Berlin.

Prenez le temps d'admirer l'Horloge universelle (p. 59) sur l'Alexanderplatz

SOMMAIRE

BRUCE LEE

BIENVENUE À BERLIN

Berlin a connu une seconde naissance au moment de la chute du Mur. Dix-huit ans plus tard, la ville est tournée vers le monde, elle déborde d'énergie et d'audace. Mouvante et avant-gardiste, elle est confiante en un grand avenir.

Dans les domaines de la mode, l'art, l'architecture et la musique, Berlin est en train de s'instaurer en modèle, même si le chômage et la dette municipale restent élevés.
Les créateurs affluent du monde entier, transformant la ville en un creuset culturel semblable à ce qu'était New York dans les années 1980. Ce qui les attire ici, c'est ce climat d'ouverture et d'expérimentation mêlé à un puissant courant urbain qui donne à Berlin un côté dynamique et légèrement décadent.

Cette tendance d'avant-garde que Berlin vient de se découvrir est un triomphe pour une ville qui a longtemps été malmenée par l'Histoire : Berlin a eu sa révolution, s'est retrouvée occupée par les nazis, a été pilonnée par les bombes, divisée en deux puis réunifiée – et tout cela seulement au XXe siècle ! Les grands symboles – le Reichstag, la porte de Brandebourg (Brandenburger Tor), Checkpoint Charlie et ce qui reste du Mur – sont comme un manuel d'histoire en 3D. Où que vous alliez, le passé est omniprésent.

Est-ce à cause de ce lourd fardeau que Berlin se précipite vers l'avenir avec tant d'ardeur ? Parfois la ville semble ne plus être qu'une gigantesque fête. Les cafés sont pleins, et dans les clubs on assiste à une débauche de frénésie et d'hédonisme jusqu'au petit matin. Dormir ? On n'en a pas le temps.

En dépit de ce rythme trépidant, Berlin demeure une ville à taille humaine très agréable. La circulation est fluide, les transports publics sont excellents, les rues sûres et votre note de restaurant ne vous permettrait ailleurs que de grignoter quelques amuse-gueules. Laissez-vous emporter dans le tourbillon des richesses et des excentricités de cette ville fascinante.

En haut à gauche Un DJ mixe lors d'une soirée au Sage Club (p. 61) **En haut à droite** La Berlinische Galerie (p. 112) présente l'art berlinois du XXe siècle. **En bas** Plage et Berlin, deux mots qui sont rarement associés… Rendez-vous au Strandbar Mitte (p. 53)

>LES INCONTOURNABLES

Lion de céramique le long de la voie des Processions menant à la porte d'Ishtar, musée de Pergame (p. 10)

>1 MUSÉE DE PERGAME

DÉCOUVERTE DES TRÉSORS DE L'ANTIQUITÉ DANS UN MUSÉE D'EXCEPTION

Si vous n'avez le temps de visiter qu'un seul musée à Berlin, optez pour celui de Pergame qui ouvre une fascinante fenêtre sur le monde antique. Le vaste complexe, achevé en 1930 pour intégrer l'île des Musées (Museumsinsel), regorge de trésors artistiques et architecturaux de l'Antiquité grecque, babylonienne, romaine, islamique et moyen-orientale, découverts pour la plupart par des archéologues allemands au début du XXe siècle.

Le musée abrite trois remarquables collections, présentant chacune des pièces maîtresses. Dans la collection des Antiquités (Antikensammlung), le plus beau joyau est, bien entendu, l'autel de Pergame (165 av. J.-C.) dont le musée tire son nom. Cette gigantesque châsse surélevée en marbre, originaire de l'ancienne cité grecque de Pergame (actuelle Bergama en Turquie), impose sa présence dans la première salle. Son escalier abrupt, de 20 mètres de large, conduit à une cour à colonnades ornée d'une frise très vivante représentant des épisodes de la vie de Télèphe, le légendaire fondateur de Pergame.

Mais c'est une autre frise, reproduite sur les murs de la salle, qui retient plus particulièrement l'attention des visiteurs. Se déroulant sur 113 mètres de long, cette bande peinte et dorée qui, à l'origine, entourait l'autel représente les dieux livrant bataille aux géants. Par la composition dramatique, les détails anatomiques et l'intense émotion qui se dégage de la scène, l'art hellénique est ici porté à son plus haut degré de perfection.

Une petite porte à droite de l'autel s'ouvre sur une autre pièce maîtresse : l'immense porte du marché de Milet (IIe siècle). Marchands et clients se sont pressés sous cette porte qui donnait accès à la place du marché de la ville romaine (aujourd'hui aussi en Turquie), carrefour commercial entre l'Asie et l'Europe. Malheureusement, l'édifice restera bâché un certain temps car son mauvais état nécessite une longue restauration.

Passez la porte et vous vous retrouverez huit cents ans en arrière dans une autre civilisation : la Babylone du roi Nabuchodonosor II. Vous êtes maintenant dans le musée des Antiquités du Proche-Orient (Vorderasiatisches Museum), où vous ne manquerez pas d'être impressionné par la reconstitution de la porte d'Ishtar (photo à droite), la voie des Processions qui y mène et la façade de la salle du Trône royal.

L'ensemble est recouvert de briques vernissées luisant d'éclats bleu cobalt et ocre. Les lions, les chevaux et les dragons en mouvement, qui représentent les principales divinités babyloniennes, sont si expressifs que l'on croirait presque entendre leurs cris.

Un escalier vous conduit à la troisième collection, le musée d'Art islamique (Museum für Islamische Kunst), où s'impose le palais des califes de Mshatta (actuelle Jordanie), un ouvrage du VIIIe siècle semblable à une forteresse. On remarque aussi la chambre d'Alep (XVIIe siècle) provenant de la maison d'un marchand chrétien en Syrie : ses murs sont recouverts de panneaux de bois minutieusement peints. Si vous regardez avec attention, vous y découvrirez *La Cène* et une *Vierge à l'Enfant* (à droite de la porte). Infos pratiques p. 50.

>2 CHÂTEAU DE CHARLOTTENBURG

RÊVE D'OPULENCE AU PALAIS ROYAL

Palais baroque exquis, le château de Charlottenburg (p. 132) est l'un des rares sites de Berlin qui permettent de se représenter la splendeur de la famille royale des Hohenzollern. Il faut aller y découvrir les trésors royaux un jour d'été, lorsque le parc luxuriant vous invite à une promenade, un bain de soleil ou un pique-nique.

La construction grandiose que vous pouvez admirer aujourd'hui n'était à l'origine qu'une modeste résidence d'été construite pour Sophie-Charlotte, la femme de l'Électeur Frédéric III, le futur roi Frédéric Ier. Plus tard, d'autres souverains modernisèrent le château et l'agrandirent jusqu'à la somptueuse façade de 505 mètres de long qui s'offre aujourd'hui à notre vue. Après avoir subi de graves dommages pendant la Seconde Guerre mondiale, le palais fut rapidement restauré dans les années 1950.

La statue équestre du Grand Électeur (voir p. 172), réalisée par Andreas Schlüter, met en valeur la partie centrale, et la plus ancienne du palais, connue sous le nom d'Ancien Château. Au rez-de-chaussée se trouvent les appartements privés de Frédéric Ier, où chaque chambre est une débauche de stuc et de brocart dans un cadre respirant l'abondance. La visite guidée s'arrête longuement sur la galerie de Chêne, une salle de bal dont les murs sont entièrement recouverts de lambris et de portraits de famille ; la charmante Salle ovale avec vue sur le parc ; la chambre à coucher de Frédéric Ier, avec la première salle de bains intégrée dans un palais baroque ; et le fabuleux cabinet des Porcelaines qui aligne du sol au plafond des porcelaines chinoises et japonaises à motifs bleus.

L'étage supérieur, qui abrite les anciens appartements du roi Frédéric-Guillaume IV, regorge de peintures, vases, tapisseries, armes, porcelaines de Meissen et autres objets indispensables à toute vie royale digne de ce nom.

Sour le règne de Frédéric le Grand, en 1746, fut ajoutée la Nouvelle Aile (Neuer Flügel ; p. 132), œuvre du plus grand architecte de l'époque, Georg Wenzeslaus von Knobelsdorff. Elle abrite les plus belles pièces du palais : le Hall blanc, qui ressemble à une pâtisserie glacée, la galerie dorée, une fantaisie rococo pleine de miroirs et de dorures, et la salle de concert. À droite de l'escalier, se trouve les beaucoup plus austères appartements d'hiver (Winterkammern) de Frédéric-Guillaume II.

Le vaste parc, composé de jardins à la française et de jardins naturels à l'anglaise, est un lieu de récréation idyllique. Ses sentiers superbement entretenus passent près d'un joli étang et mènent à d'autres petits joyaux, dont le Nouveau Pavillon (Neuer Pavillon ; p. 132), le charmant Belvédère, abritant une collection de porcelaines, et le mausolée.

À FAIRE

> D'avril à décembre, revivre les fastes royaux avec les musiciens du **Berliner Residenz Konzerte** (www.concerts-berlin.com) qui revêtent costumes de cour et perruques poudrées pour une série de concerts classiques donnés à la lumière des chandelles dans le château de Charlottenburg.

> Déjeuner dans le ravissant café qui est installé sur la terrasse ombragée du pavillon de la Petite Orangerie, près de l'entrée du parc. Attention, la carte est assez chère.

> Prendre un bateau sur la Spree (p. 187) : c'est la plus agréable façon de voyager entre Berlin et le château de Charlottenburg. L'embarcadère se trouve juste à l'extérieur de l'angle nord-est du parc.

>3 VIE NOCTURNE

UN WEEK-END ENTIER SUR LES PISTES DE DANSE

Berlin est célèbre pour sa vie nocturne intense et débridée depuis les années 1920, où tous, de Marlene Dietrich à Christopher Isherwood, participaient à des fêtes libertines. Après la réunification, clubs et soirées ont explosé, les plus en vue se transportant dans des lieux désaffectés : postes, centrales électriques, bunkers, usines et autres endroits sombres et humides, pour la plupart dans la zone est. La techno hard y a résonné comme la musique du moment avant de partir à la conquête du monde. L'onde de choc de la réunification se propagea au Royaume-Uni, où la scène rave explosa elle aussi, en même temps que l'ecstasy.

Aujourd'hui cette culture de clubs est sans doute moins radicale et moins underground, sans se banaliser pour autant. N'importe quel samedi soir, vous avez le choix entre plus de 130 clubs : du petit bar à DJ comme le Delicious Doughnuts (p. 74) aux endroits trash comme le Cassiopeia (p. 127), en passant par les clubs design et branchés tel le Week-End (p. 61). Le Berghain/Panoramabar (p. 126) est peut-être celui qui a su garder le plus l'atmosphère des mythiques années 1990.

Question musique, la techno occupe toujours le devant de la scène, mais a éclaté en divers genres de musique électronique. De célèbres DJ ont élu domicile dans la ville, d'autres y sont simplement de passage. Guettez André Galluzzi, Tiefschwarz, Tama Sumo, Ellen Allien et Namito. Parmi les pionniers, Marusha, Dr Motte, Tanith et Paul van Dyk animent régulièrement les soirées berlinoises. Voir aussi p. 162.

>4 SCHEUNENVIERTEL

SÉANCE DE SHOPPING À SCHEUNENVIERTEL : OBJETS KITSCH ET VÊTEMENTS DE CRÉATEURS

Si vous recherchez quelque chose qui représente vraiment Berlin, il faut aller flâner du côté de Scheunenviertel où sont regroupées des boutiques de caractère. On se croirait dans un village, avec ses petites rues aux allures de labyrinthe et ses commerces chic et insolites qui vous proposent une vaste sélection d'articles, pour la plupart fabriqués en Allemagne : prêt-à-porter des couturiers, vêtements street wear, décoration d'intérieur, produits gourmets, accessoires, art, etc. Malgré l'apparition récente de chaînes comme Hugo Boss (photo ci-dessus) et Adidas, la plupart des magasins reflètent encore ici la philosophie et le goût des habitants. Les articles bien conçus et présentés avec goût sont en outre vendus à des prix abordables.

Faire du shopping à Scheunenviertel constitue une agréable promenade-découverte. Ce qui rend l'endroit si spécial, c'est tout simplement la diversité des boutiques. Au cours de votre flânerie, vous tomberez sur Über (p. 69), un magasin d'accessoires élégants, 1. Absinth Depot Berlin (p. 66) et sa spécialité peu commune, des vitrines de couturier comme le Berliner Klamotten (p. 67), des boutiques-ateliers telle que celle de la joaillière Michaela Binder (p. 68) et même des boutiques anciennes comme la Bonbonmacherei (p. 68) qui propose des bonbons artisanaux. L'Auguststrasse abrite de nombreuses galeries d'art contemporain comme Eigen+Art (p. 68), tandis que les boutiques des grandes marques du prêt-à-porter sont regroupées autour de Hackescher Markt et le long des Münzstrasse et Neue Schönhauser Strasse.

>5 EAST SIDE GALLERY

RENCONTRE AVEC LES FANTÔMES DE LA GUERRE FROIDE LE LONG DU MUR

C'était en 1989. Le mur de Berlin, cette barrière grise qui avait divisé l'humanité durant vingt-huit ans, tombait. L'Allemagne de l'Est était libre, et la réunification imminente. Le Mur fut détruit, à l'exception d'un tronçon de 1,3 km le long de la Mühlenstrasse. C'est aujourd'hui l'East Side Gallery, recouverte de 106 fresques multicolores qui constituent la plus vaste galerie d'art en plein air au monde. Des douzaines d'artistes de tous pays ont retransmis l'euphorie et l'optimisme du moment dans un mélange éclectique de slogans politiques, d'illustrations surréalistes et de dessins vraiment artistiques. Vous verrez entre autres *Test the Best* (photo ci-dessus) de Birgit Kinder, qui montre une Trabi perçant le Mur, et *The Mortal Kiss* de Dimitrij Vrubel, représentant le baiser d'Erich Honecker et Leonid Brejnev .

Bien que monument protégé, la galerie est menacée. Le temps, les éléments et les vandales (dont des touristes désirant apposer leur signature) n'ont pas épargné les fresques. Même si certaines furent restaurées en 2000, il faudrait qu'elles le soient sur l'ensemble du Mur. Voir aussi p. 120.

>6 REICHSTAG

REGARD SUR LE REICHSTAG, EMBLÈME SAISISSANT DE L'HISTOIRE ALLEMANDE

Symbole historique au centre du quartier du gouvernement, le Reichstag constitue le siège du Bundestag (le Parlement allemand), depuis 1999. Le célèbre architecte britannique Norman Foster a intégralement rénové l'édifice, n'en conservant que l'ancien squelette. Il lui a notamment adjoint une impressionnante coupole vitrée, accessible par ascenseur.

Tout au long de l'histoire de l'Allemagne, le Reichstag (p. 79) s'est trouvé au centre d'événements décisifs. Depuis l'une de ses fenêtres, Philipp Scheidemann proclama la république d'Allemagne après la Première Guerre mondiale. L'incendie du Reichstag, le 27 février 1933, dont furent accusés les communistes, permit à Hitler de prendre le pouvoir. Douze années plus tard, l'Armée rouge victorieuse brandissait le drapeau soviétique sur l'édifice détruit par les bombes.

Dans les années 1980, les célèbres David Bowie, Michael Jackson et le groupe Pink Floyd donnèrent des concerts sur la pelouse du Reichstag, qui jouxtait le côté ouest du Mur. Quant on rapporta aux chanteurs que des fans de Berlin-Est s'étaient regroupés de l'autre côté, ils tournèrent les amplis dans leur direction, provoquant par ce geste un incident international !

Puis le Mur tomba, menant à la réunification allemande qui fut déclarée ici en 1990. En 1995, le Reichstag fit à nouveau les gros titres dans monde entier lorsque le couple d'artistes Christo et Jeanne-Claude recouvrirent l'édifice d'un tissu. Norman Foster en commença la rénovation peu après.

>7 MUSÉE JUIF

UNE VISITE INCONTOURNABLE

Le Musée juif de Berlin (Jüdisches Museum), moderne et interactif, dresse la chronique de deux mille ans d'histoire juive en Allemagne. Sa particularité est de ne pas traiter, comme c'est souvent le cas, que de l'Holocauste. Les douze années d'horreur du régime nazi y sont bien sûr abordées, mais dans l'ensemble d'une vaste période, allant de l'époque romaine jusqu'à la renaissance actuelle de la communauté, en passant par le Moyen Âge et le siècle des lumières. Le musée détaille l'apport de cette communauté dans les domaines culturels et scientifiques. Vous pourrez ainsi découvrir des personnages comme le philosophe Moses Mendelssohn, ainsi que les traditions familiales et les fêtes juives.

L'architecture puissante de Daniel Libeskind constitue un langage particulièrement expressif. La forme du bâtiment en étoile de David désaxée, les murs de zinc argenté aux angles coupants et les entailles en guise de fenêtres évoquent les tortures infligées au peuple juif.

Le symbolisme visuel se poursuit à l'intérieur. Un escalier escarpé conduit jusqu'aux "axes", trois passages qui se croisent, représentant le destin des juifs pendant la période nazie. L'axe de l'Exil mène à un "jardin" déroutant avec ses colonnes en béton penchées. L'axe de l'Holocauste se termine sur un "vide", telle une tombe symbolisant la perte d'humanité, de culture et de vie. Seul l'axe de la Continuité débouche sur l'exposition, mais le trajet empruntant plusieurs volées de marches abruptes est malaisé. Infos pratiques p. 114.

>8 PINACOTHÈQUE

CONTEMPLATION DES CHEFS-D'ŒUVRE INNESTIMABLES DES GRANDS MAÎTRES DU PASSÉ

L'ouverture en 1998, sur le Kulturforum, de la Pinacothèque (Gemäldegalerie) marque l'heureuse réunion des remarquables collections d'artistes européens séparées par la guerre froide pendant un demi-siècle. Certaines œuvres étaient restées au musée Bode dans Berlin-Est, pendant que les autres étaient exposées à Dahlem, dans la banlieue de Berlin-Ouest. Aujourd'hui, l'ensemble des mille cinq cents œuvres constituent un vaste panorama de la peinture du XIIIe au XVIIe siècle. Tous les plus grands noms sont là : Rembrandt, Titien, Goya, Botticelli, Holbein, Gainsborough, Rubens, Vermeer. La Pinacothèque abrite également une collection de sculptures.

Parmi les chefs-d'œuvre, citons le *Portrait de Hieronymus Holzschuher* (1529 ; salle 2), peint par son ami Albrecht Dürer avec une précision méticuleuse. Dans les *Proverbes néerlandais* (1559 ; salle 7), à la fois moralisateurs et humoristiques, Pieter Bruegel réussit comme par magie à illustrer cent dix-neuf proverbes dans une seule scène de village au bord de la mer. La joyeuse *Fontaine de Jouvence* de Lucas Cranach l'Ancien (1546 ; salle 3) mettrait tous les chirurgiens esthétiques au chômage, si elle existait. Les admirateurs de Rembrandt découvriront seize de ses œuvres, dont un autoportrait et le *Portrait de Hendrickje Stoffels* (1657 ; salle 10), sa maîtresse. Retiennent aussi l'attention : l'érotique *Léda et le Cygne* du Corrège (1532 ; salle 15), le glacial *Jugement dernier* de Petrus Christus (1452 ; salle 4) et l'ensorcelante *Malle Babbe* de Frans Hals (1633 ; salle 13). Infos pratiques p. 83.

>9 TIERGARTEN

PROMENADES, PIQUE-NIQUES ET RENDEZ-VOUS AMOUREUX DANS UN PARC DE RENOM

Le Tiergarten est une merveilleuse retraite loin du tohu-bohu de la ville. Sa superficie (167 ha) en fait un des plus vastes parcs urbains au monde. Ses belles frondaisons invitent à la promenade, ses sentiers bien entretenus au jogging, ses plaisants bosquets et ses lacs aux pique-niques ou aux barbecues, et ses prairies à un bain de soleil. Les souverains de Berlin chassaient le sanglier et le faisan dans ce domaine, avant qu'il ne soit aménagé en parc public au XVIIIe siècle par l'architecte paysagiste Peter Lenné.

Le Tiergarten est coupé en deux d'est en ouest par la Strasse des 17 Juni, où se tient un marché aux puces et s'élève le Mémorial soviétique en l'hommage des soldats de l'Armée rouge. De grands festivals, dont le Live8 et la parade de Christopher Street Day (p. 28), se déroulent le long de cette rue, s'achevant généralement à la colonne de la Victoire (Siegessäule ; p. 85).

Le parc est idyllique du côté de la Rousseauinsel (île de Rousseau), ainsi nommée en l'honneur du philosophe, et de la fleurie Luiseninsel. Sur le Nouveau Lac (Neuer See), faites une promenade en barque ou allez vous désaltérer dans le *Biergarten* du Café am Neuen See (p. 86). Les enfants adoreront le zoo de Berlin (p. 134), juste en dessous du canal Landwehr.

>10 KURFÜRSTENDAMM

UNE BALADE PARMI LA FOULE ÉLÉGANTE DU BOULEVARD LE PLUS CHIC DE LA CAPITALE

Surnommé Ku'damm, l'élégant Kurfürstendamm dans Charlottenburg, prolongé par la Tauentzienstrasse et bordé de commerces animés, est le plus long boulevard de Berlin. Vous y trouvez des grands magasins comme Wertheim et KaDeWe (p. 144) et des chaînes de vêtements à la mode comme H&M et Mango. Plus à l'ouest, les boutiques sont plus petites et gagnent en chic. Parmi tous ces commerces, la présence de la Gedächtniskirche (église du Souvenir ; p. 130) paraît incongrue, mais rappelle de façon poignante l'absurdité de la guerre.

Le Ku'damm, qui s'étend sur 3,5 km, n'était au départ qu'une piste cavalière menant au pavillon de chasse royal dans la forêt de Grunewald. Mais dans les années 1870, Otto von Bismarck voulut que la capitale du nouveau Reich ait un boulevard représentatif, plus beau que les Champs-Élysées. Le Kurfürstendamm devint le lieu le plus en vue de la ville, bordé de bâtiments résidentiels à la mode et doté d'immenses allées pour la promenade.

Plus récemment, s'y ajoutèrent de spectaculaires édifices de style contemporain, notamment le Neues Kranzler Eck , le palais de verre conçu par Helmut Jahn (carte p. 129, E2). Flânez aussi dans les jolies rues secondaires, la quasi parisienne Bleibtreustrasse ou la luxueuse Fasanenstrasse et, après avoir visité le musée Käthe-Kollwitz (p. 130), faites une pause juste à côté dans le Café Wintergarten im Literaturhaus (p. 138).

>11 PORTE DE BRANDEBOURG

UNE PHOTO DEVANT LA FAMEUSE PORTE DE BRANDEBOURG : TOUT UN SYMBOLE

C'est devant cette porte (p. 46) que, en 1987, Ronald Reagan, alors président des États-Unis, prononça les paroles désormais célèbres : *"Mr Gorbatchev, tear down this wall"* ("M. Gorbatchev, abattez ce mur"). Deux ans après, le Mur appartenait au passé et la porte de Brandebourg, symbole de division durant la guerre froide, incarne aujourd'hui la réunification allemande.

Conçue en 1791 par Carl Gotthard Langhans dans le style néoclassique, cette porte est la seule qui subsiste sur l'emplacement de l'ancien mur de la ville. Supportée par une douzaine de colonnes espacées à intervalles irréguliers, le majestueux édifice fut inspiré de l'Acropole d'Athènes. À la famille royale était réservé l'honneur d'entrer par le passage central, le plus vaste. Son entourage empruntait les passages latéraux tandis que le peuple, lui, se contentait des plus étroits sur l'extérieur.

Au sommet de la porte, trône le *Quadrige* de Johann Gottfried Schadow, une sculpture représentant la déesse de la Victoire ailée conduisant un char tiré par des chevaux. En 1806, Napoléon Ier enleva la statue et la retint en "otage" à Paris, avant qu'elle ne soit libérée par un vaillant général prussien et ne revienne triomphalement à Berlin. Du haut de la porte de Brandebourg, elle domine fièrement une place carrée qui prit le nom de Pariser Platz.

>12 PRENZLAUER BERG

UNE FLÂNERIE DANS LE BERLIN TRES EN VOGUE

La zone jadis délaissée et défigurée de Prenzlauer Berg a bénéficié d'un tel bain de jouvence depuis la réunification qu'elle est devenue le fief des Berlinois dans le vent. Le quartier n'offre aucun site célèbre : son charme est ailleurs, se révélant de manière subtile et inattendue. Admirez les belles façades ornées qui portaient encore il y a peu les traces de la guerre. Poussez une lourde porte cochère et découvrez des cours tranquilles telle l'artistique Hirschhof (p. 90), ou des demeures sortant de l'ordinaire telle la Tuntenhaus (carte p. 89, B4 ; Kastanienallee 86 ; photo ci-dessus) abritant une communauté de punks gays. Dans la Kastanienallee, au chic bohème, allez fureter dans les boutiques des petits créateurs, aux vêtements et accessoires originaux, ou installez-vous dans un café pour observer les étudiants, les jeunes cadres dynamiques ou les mères et leurs enfants qui défilent devant vous.

C'est autour de la station d'U-Bahn d'Eberswalder Strasse que la Kastanienallee est la plus animée ; il faut y goûter les légendaires saucisses de Konnopke's Imbiss (p. 94). À l'ouest, le Mauerpark (parc du Mur ; carte p. 89, A3) abrite un tronçon du mur de Berlin et le marché aux puces du dimanche (p. 92). À l'est de la Schönhauser Allee, le Kulturbrauerei (p. 90), une ancienne brasserie transformée en trépidant centre culturel, marque l'entrée dans le quartier des jeunes yuppies de Kollwitzplatz (p. 90). Au nord de la Danziger Strasse, le quartier autour d'Helmholtzplatz est beaucoup moins chic, les bars sont plus animés et les boutiques, plus excentriques. Voir aussi p. 88.

>13 CABARET ET VARIÉTÉS

UN SPECTACLE DE CABARET COMME DANS LES ANNÉES 1920

Le cabaret est né dans les années 1880 à Paris, mais c'est à Berlin, dans les années 1920, qu'il s'est encanaillé. Pendant les turbulentes années de la république de Weimar, créativité et décadence sont à leur apogée en dépit de (ou peut-être à cause de) l'inflation galopante et de la situation politique instable. Dans des scènes fantaisistes qui titillaient agréablement les sens, le cabaret et ses artistes (travestis, chanteurs, magiciens, danseurs et autres amuseurs) faisaient oublier aux foules les dures réalités de la vie quotidienne. Le film *L'Ange bleu* (1930), avec Marlene Dietrich, ainsi que la comédie musicale de Bob Fosse, *Cabaret* (1972), avec Liza Minnelli, retracent cette époque de façon très vivante.

Depuis dix ans, nombreux sont les lieux consacrés à la renaissance de ces spectacles, en partie liée à l'euphorie qui a suivi la réunification. Plus policés et moins criards que durant les Années folles, les spectacles actuels sont surtout des variétés dansées. La scène la plus excentrique, le Bar jeder Vernunft (p. 141), qui reprend *Cabaret*, joue à guichets fermés. Le Friedrichstadtpalast (p. 75) est le plus grand théâtre de revues musicales d'Europe. Si vous aimez les endroits plus intimes, essayez le Chamäleon Varieté (p. 74). L'Admiralspalast (p. 54 ; photo ci-dessus) présente revues musicales et comédies. Ne confondez pas cabaret avec *Kabarett*, qui fait référence à des spectacles satiriques sur la politique.

>AGENDA

Berlin est vraiment une ville festive, au calendrier bien rempli. Toute l'année se déroulent concerts, fêtes de rue, événements sportifs, foires commerciales et festivals qui célèbrent tous les domaines imaginables : cinéma, fétichisme, musique, mode, pornographie, voyage. Le Christopher Street Day et la Saint-Sylvestre rassemblent un nombre incroyable de fêtards, remplissant les hôtels, les restaurants et tous les lieux de loisirs. L'**office du tourisme** (www.visitberlin.de) présente un agenda en ligne des événements et vous aide à réserver vos billets. Les magazines *Tip* (www.tip-berlin.de) et *Zitty* (www.zitty.de), en allemand, vous donnent des informations à la minute près sur tout ce qui se passe en ville.

Scène de fête à Berlin, lors d'un des nombreux concerts et festivals en tout genre

JANVIER

Berliner Sechstagerennen

www.sechstagerennen-berlin.de

en allemand

Cette course cycliste internationale, qui se déroule pendant six jours sur piste, attire depuis près d'un siècle l'élite du cyclisme à Berlin.

Internationale Grüne Woche

www.gruenewoche.de

La "Semaine verte internationale" – officiellement une foire d'une semaine consacrée aux produits alimentaires, à l'agriculture et au jardinage – est en fait idéale pour goûter à des mets en provenance du monde entier.

Fabuleux costumes du Karneval der Kulturen

Berlin Fashion Week

www.berlin-fashionweek.de

Cette foire de la mode alternative organisée par Premium, Ideal, Spirit of Fashion et Bread & Butter présente aux professionnels et au grand public des vêtements street wear ou club wear dans un style avant-gardiste.

Transmediale

www.transmediale.de

L'art numérique est à l'honneur dans ce festival qui explore aussi comment les techniques de l'informatique influent sur la société et la production artistique.

FÉVRIER

Berlinale

www.berlinale.de

Metteurs en scène, critiques et célébrités du monde entier participent à ce prestigieux festival international : durant deux semaines des films sont projetés dans tout Berlin, accompagnés de fêtes glamour. Le festival décerne les Ours d'or et d'argent, ainsi que le prix Teddy pour le meilleur film gay et lesbien. De nombreux films affichant vite complet, mieux vaut réserver à l'avance.

MARS

ITB Berlin

www.itb-berlin.de

Le plus grand salon du tourisme au monde vous offre un voyage virtuel autour du globe. Il est ouvert au public le week-end.

Le grand défilé des homosexuels du Christopher Street Day (p. 28) : joie et extravagance sont au rendez-vous !

MaerzMusik

www.maerzmusik.de

Festival de musique contemporaine, "Musique en mars" propose une palette de sons singulière, de la symphonie orchestrale à la nouvelle musique expérimentale, dont de nombreux morceaux inédits ou composés sur commande.

AVRIL

Festtage

www.staatsoper-berlin.org

L'Opéra national Unter den Linden (p. 55) présente pendant ce festival de 10 jours des concerts et des opéras de haut niveau.

Britspotting

www.britspotting.de

Ce petit festival de films britanniques et irlandais dont la renommée n'a jamais atteint les grands multiplexes fait mouche chez les adeptes du cinéma d'art et d'essai à Berlin.

MAI

Karneval der Kulturen

www.karneval-berlin.de

Le "Carnaval des cultures" célèbre l'esprit multiculturel de la ville par des fêtes et des défilés de chars avec des danseurs et des musiciens en costumes flamboyants.

Theatertreffen Berlin
www.theatertreffen-berlin.de

Pendant trois semaines, les "Rencontres théâtrales" de Berlin présentent de nouvelles productions par des troupes émergeantes ou bien établies, venues d'Allemagne, d'Autriche et de Suisse.

JUIN

Christopher Street Day
www.csd-berlin.de

Le plus grand défilé d'homosexuels de Berlin rassemble dans les rues des participants de tous bords. Tenues tape-à-l'œil, drapeaux arc-en-ciel, musique techno et torses nus garantis !

La culture "prend l'air" pendant le Classic Open Air

Fête de la musique
www.lafetedelamusique.com en allemand

Chaque 21 juin, premier jour de l'été, la ville résonne des excellentes vibrations de centaines de concerts gratuits.

JUILLET

Classic Open Air
www.classicopenair.de en allemand

La jolie place de Gendarmenmarkt (carte p. 54, D4) forme un cadre élégant pour cette prestigieuse série de concerts classiques en plein air.

B-Parade
www.bparade.eu

La Berlin Dance Parade, qui voudrait succéder à la Love Parade, s'est élancée dans les rues de la ville pour la première fois en 2007.

AOÛT

Fuckparade
www.fuckparade.org

Non, ce n'est pas ce que vous pensez ! Simplement des anticapitalistes et des antifachistes qui dénoncent le caractère mercantile de la Love Parade.

ISTAF
www.istaf.de

La plus grande rencontre athlétique internationale d'Allemagne rassemble les champions au stade olympique.

Internationale Funkausstellung

www.ifa-berlin.de

Cette immense foire internationale de l'électronique vous donnera une idée du gadget que le Tout-Berlin s'arrachera à Noël.

SEPTEMBRE

Musikfest Berlin

www.berlinerfestspiele.de

Chefs d'orchestre, solistes et orchestres de renommée mondiale donnent pendant deux semaines des concerts dans le cadre de la Philharmonie et de la Kammermusiksaal (p. 87).

Berlin Marathon

www.berlin-marathon.com

La plus grande course de rue en Allemagne, qui attire 50 000 participants, a enregistré neuf records du monde depuis 1977.

Popkomm

www.popkomm.de

Le plus grand salon de la musique indépendante en Europe présentant nouveaux groupes et jeunes labels s'accompagne de concerts et d'ateliers.

OCTOBRE

Art Forum Berlin

www.art-forum-berlin.com

Découvrez les nouvelles tendances de l'art dans cette foire internationale réputée, qui rassemble grands galeristes, artistes, collectionneurs et simples curieux.

L'ÉTÉ À BERLIN

> **Freiluftkino Kreuzberg** (www.freiluftkino-kreuzberg.de, en allemand). De mi-mai à fin août, ce cinéma de plein air présente des grands classiques, des films de tous pays et parfois des succès d'Hollywood, tous en version originale sous-titrée en allemand.

> **Lange Nacht der Museen** (www.lange-nacht-der-museen.de, en allemand). Durant la "longue nuit des musées", ces lieux qui cultivent savoir et beauté ouvrent leurs portes jusqu'à 2h du matin une nuit en janvier et une autre en août.

> **Museumsinsel Festival** (www.museumsinselfestival.info, en allemand). Passez une agréable nuit sous les étoiles pendant ce célèbre festival de plein air consacré à la musique rock, pop, et classique. Des films, des opéras et autres représentations utilisent le décor magique de l'Ancienne Galerie nationale (Alte Nationalgalerie ; p. 44).

> **Skate Night Berlin** (www.skate-night-berlin.de, en allemand). Des milliers de skaters font le tour de Berlin chaque dimanche, pendant la nuit, de mi-mai à début septembre.

> **Stummfilmkonzerte** (www.stummfilmkonzerte.de, en allemand). Des projections de films muets, accompagnés au piano ou à l'orgue par Carsten-Stephan Graf von Bothmer, un compositeur ayant élu domicile à Berlin, ont lieu en hiver à certaines dates au Babylon Mitte (p. 74), et dans différents lieux en extérieur l'été.

You Berlin

www.you.de en allemand

La plus grande foire de la jeunesse en Europe pour rester branché dans tous les domaines : mode, sport, beauté et art de vivre. En bonus : concerts, enregistrements d'entretiens TV et pas mal d'agents de casting sur la brèche.

Tag der Deutschen Einheit

Le 3 octobre a été déclaré Jour national de la réunification allemande et Berlin célèbre l'événement en organisant des fêtes de rue, de la porte de Brandebourg (p. 46) à l'Hôtel de Ville (Rathaus ; p. 58).

Porn Film Festival

www.pornfilmfestivalberlin.de

Grands classiques, pornos japonais, pornos indépendants, science-fiction… la "Berlinale" du sexe porte tous les genres à l'écran.

NOVEMBRE

Jazzfest Berlin

www.jazzfest-berlin.de

Ce festival de jazz d'excellente qualité, qui a vu le jour en 1964, présente de nouveaux talents et de grands noms dans toute la ville.

Verzaubert

www.verzaubertfilmfest.com

L'étape berlinoise de ce festival du film "enchanté" programme dans le Kino International (p. 61) le meilleur du cinéma queer international, après une tournée englobant Munich, Francfort et Cologne.

Trouvez vos figurines kitsch aux marchés de Noël

DÉCEMBRE

Marchés de Noël

www.visitberlin.de

Choisissez de magnifiques décorations ou réconfortez-vous avec du vin chaud dans les marchés de Noël (Weichnachtsmärkte) qui se tiennent en décembre en divers lieux, notamment sur la Breitscheidplatz (carte p. 129, F2) et l'Alexanderplatz (carte p. 57, C1).

Saint-Sylvestre

Pour le Nouvel An, il faut se mêler à la foule, embrasser de parfaits inconnus, s'extasier face au feu d'artifice et boire du champagne devant la porte de Brandebourg ou au sommet de la colline dans le Viktoriapark (carte p. 111, A5).

>ITINÉRAIRES

Dans la nuit de Berlin, l'étrange perspective des stèles du mémorial de l'Holocauste (p. 48)

ITINÉRAIRES

Ne vous laissez pas intimider par le vaste périmètre de Berlin : la plupart des grands monuments se concentrent dans le centre compact de la ville, quant aux autres sites et attractions, ils sont facilement accessibles par l'U-Bahn ou le bus. Voici quelques propositions pour vous aider à planifier votre séjour.

PREMIER JOUR

Levez-vous tôt pour arriver avant la foule des touristes au sommet du dôme du Reichstag (p. 79), puis dirigez-vous vers le sud en préparant votre appareil photo pour la porte de Brandebourg (p. 46), avant d'explorer le labyrinthe du mémorial de l'Holocauste (p. 48) et de poursuivre avec une petite balade autour de la Potsdamer Platz (p. 80). De là, prenez le U2 et descendez à la station Stadtmitte : côté sud, Checkpoint Charlie (p. 112) vous ramènera au temps de la guerre froide. Ensuite retour à la case départ pour un peu de shopping dans les galeries commerçantes chic de Friedrichstadtpassagen (p. 47). Après un rapide déjeuner, reprenez votre promenade vers la belle esplanade de la Gendarmenmarkt (p. 47), puis continuez vers le nord jusqu'à Unter den Linden (p. 42). Remontez la grande avenue historique de Berlin vers l'est jusqu'à la Berliner Dom (cathédrale de Berlin, p. 45), mais gardez l'île des Musées (Museumsinsel), qui demande de l'énergie, pour un autre jour. Allez plutôt flâner dans les agréables allées sinueuses de Scheunenviertel (p. 62), où vous trouverez des boutiques d'art, de mode et d'accessoires uniques à Berlin. Pour terminer la journée, nous vous recommandons un dîner au Shiro I Shiro (p. 71), et si vous avez envie de faire la fête, ne manquez pas le White Trash Fast Food (p. 75), un des clubs les plus excentriques de la ville, puis allez danser au Week-End (p. 61).

DEUXIÈME JOUR

Consacrez la matinée aux trésors de l'Antiquité du musée de Pergame (p. 50), et à la reine Néfertiti dont le buste est exposé dans l'Ancien Musée (Altes Museum ; p. 44). Ensuite, prenez le U6 (Französische Strasse est la station la plus proche) jusqu'à Mehringdamm pour vous imprégner de l'ambiance de ce quartier bohème qui aligne boutiques et cafés dans la Bergmannstrasse (p. 112). Au Curry 36 (p. 116), laissez-vous tenter par une *Currywurst* (saucisse au curry) – ce sont les meilleures de la ville.

En haut à gauche Nouvelles saveurs : avalez un bol d'*udon* ou un *nabe* au Susuru (p. 71) **En haut à droite** Telles des sirènes attirant les marins, les mannequins invitent les promeneurs dans les boutiques vintage de la Bergmannstrasse (p. 112)
En bas Piquez une tête à la Badeschiff (p. 108), une étonnante piscine qui flotte sur la rivière...

La Bergmannstrasse prend fin à Marheinekeplatz ; de là vous en avez pour quinze minutes à pied vers le nord jusqu'au Musée juif (p. 114), fameux pour ses collections et l'architecture symbolique de Daniel Libeskind. Un jour de soleil, détentez-vous avec un verre au bord de la rivière au Freischwimmer (p. 105) ou au Heinz Minki (p. 107), puis allez dîner au Spindler & Klatt (p. 105) ou au Bar 25 (p. 125). Dans les deux, il convient de réserver ; ils se transforment en clubs le week-end plus tard dans la nuit. Un vendredi ou un samedi soir, ceux qui aiment vraiment la fête essaieront le Berghain/Panoramabar (p. 126), après minuit.

TROISIÈME JOUR

Si vous avez assez dormi la nuit d'avant, commencez cette journée par la visite du château de Charlottenburg. Il faut absolument découvrir la Nouvelle Aile (Neuer Flügel ; p. 132) du palais et se promener dans son merveilleux parc. S'il fait beau, il sera très agréable de revenir jusqu'au Mitte en bateau (p. 183), l'embarcadère se trouve sur le côté est du palais. Sinon, prenez le U2 (sauf le dimanche), de Sophie-Charlotte-Platz à Wittenbergplatz, où vous satisferez votre envie de shopping au grand magasin KaDeWe (p. 144) qui a réservé

Une représentation au Wintergarten Varieté (p. 148) dans la tradition flamboyante des "Années folles"

Café et lecture dans la librairie décontractée d'Another Country (p. 115)

un étage entier au rayon gourmet. Si vous n'y avez pas trouvé votre bonheur, continuez vers l'ouest par laTauentzienstrasse jusqu'au réputé Kurfürstendamm (p. 138), en prenant le temps de contempler la Kaiser-Wilhelm-Gedächtniskirche (église du Souvenir ; p. 130), dont la carcasse qui se dresse au milieu des commerces rappelle la guerre. Le soir, un spectacle de cabaret s'impose au Bar jeder Vernunft (p. 141) ou au Wintergarten Varieté (p. 148), ou bien un concert à la Philharmonie (p. 87), mais vous pouvez aussi rejoindre le charmant quartier de Prenzlauer Berg où vous trouverez de très bons restaurants autour de la Kollwitzplatz (p. 90) ou du château d'eau (Wasserturm, p. 91).

BERLIN PAS CHER

Que Berlin soit une capitale parmi les moins chères d'Europe de l'Ouest n'est pas un secret. Et vous pouvez ne pas dépenser beaucoup si vous savez bien vous y prendre, sans que pour cela votre visite en soit moins palpitante. L'ascenseur jusqu'au sommet du dôme du Reichstag (p. 79) est gratuit. L'East Side Gallery du mur de Berlin (p. 120) l'est également, tout comme le mémorial de l'Holocauste (p. 48). De plus, les balades sur la chaussée, bien entendu, ne coûtent rien non plus ; or Berlin possède nombre de rues intéressantes comme la célèbre avenue Unter den Linden, la clinquante Friedrichstrasse, la Bergmannstrasse (p. 112) plus bohème, sans oublier la grandiloquente Karl-Marx-Allee (p. 120). Une promenade le long de la Spree fera également découvrir des vues fascinantes sur le nouveau quartier du Gouvernement.

Consultez les magazines *Tip* (www.tip-berlin.de en allemand) et *Zitty* (www.zitty.de en allemand) qui renseignent sur les vernissages, festivals, conférences ou autres événements non payants, en général. Par exemple, sont gratuits : les sessions de jazz le lundi et le samedi tard dans la soirée au A-Trane (p. 141) ; les concerts classiques du Clärchens Ballhaus (p. 74) et les occasionnels concerts de rock dans des clubs tels le Magnet (p. 99) et le Knaack (p. 99).

UN JOUR DE PLUIE

Les musées à Berlin sont certainement plus nombreux que les jours de pluie, alors quand les dieux de la météo ont décidé de vous contrarier, le choix d'activités de qualité ne manque pas. Commencez la journée classiquement en faisant durer le plaisir d'un bon petit déjeuner ; certains endroits le servent jusqu'aux premières heures de l'après-midi : le Jolesch (p. 104), le Jules Verne (p. 138) et le Bar Gagarin (p. 97). Et quand vous aurez pris des forces, 175 musées vous attendent, des incontournables géants comme le Pergame (p. 50) aux petits joyaux tel le Käthe-Kollwitz (p. 130). Quant aux fanas du shopping, ils auront tout le temps pendant la pluie de faire chauffer leur carte de crédit au grand magasin KaDeWe (p. 144), ou dans le Friedrichstadtpassagen (p. 47). Une autre bonne idée : le Badeschiff (p. 108) avec piscine, sauna et bar "flottant" sur la Spree. En hiver, cet établissement insolite vous fera vite oublier un après-midi maussade. Pour ceux qui se réjouissent à l'idée d'apercevoir une célébrité,

Le Flohmarkt am Boxhagener Platz (p. 122) déballe ses trésors.

PRÉPARER SON VOYAGE À BERLIN

Deux ou trois mois à l'avance, consultez le site de l'office du tourisme de Berlin (www.visitberlin.de) qui vous renseignera sur tous les grands événements à venir dans la ville tout en vous permettant d'acheter vos billets au moyen de votre carte de crédit. Les spectacles artistiques ont en général leur propre site présentant le calendrier et les conditions de vente des places.

Les places de concert pour la Philharmonie (p. 87), l'Opéra national Unter den Linden (Staatsoper ; p. 55), et les autres grandes salles, se vendant très vite, il faut réserver très longtemps à l'avance. Il en est de même pour les grands matchs de football (finale de la Ligue fin mai, matchs de la Bundesliga, ou du Hertha BSC de Berlin contre son grand rival le FC Bayern de Munich). En revanche, on peut acheter le jour même des billets pour les matchs réguliers du samedi.

Une semaine avant votre voyage, consultez les versions en ligne des magazines *Tip* et *Zitty*, ainsi vous serez au courant de tout ce qui se passe à Berlin. Une semaine devrait suffire pour passer une réservation pour un dîner dans un restaurant de luxe comme le Shiro I Shiro (p. 71), le Facil (p. 85), le Margaux (p. 52) ou le Spindler & Klatt (p. 105). Pour les autres restaurants, téléphoner un jour à l'avance est habituellement suffisant.

ils iront prendre un café ou un cocktail dans le salon du légendaire Hotel Adlon (p. 49). Enfin les amateurs de cinéma consulteront les magazines *Tip* et *Zitty* pour les succès d'Hollywood en version originale au Cinestar Original (p. 87), ou les films d'art et d'essai à l'Arsenal (p. 87), deux cinémas dans le Sony Center.

BERLIN LE DIMANCHE

Berlin, à la différence de certaines autres capitales européennes, ne sombre pas dans une torpeur dominicale. Exception faite des magasins, le dimanche tout est ouvert : musées, sites touristiques, croisières sur la rivière et, bien sûr, tous les établissements liés au spectacle, cinémas, théâtres, concerts et cabarets. L'animation bat son plein dans les cafés à toute heure de la journée ; les fêtards levés très tard se rassemblent au buffet autour d'un brunch jusque dans l'après-midi (15 h ou 16h), tandis qu'à l'heure du goûter, la longue tradition allemande d'un café accompagné de pâtisseries attire les gourmands, toutes générations confondues. Si les magasins fermés vous ont contrarié, vous pourrez toujours aller au marché aux puces, le Flohmarkt am Mauerpark (p. 92) et le Flohmarkt am Arkonaplatz (p. 92) sont les plus intéressants de la ville, et se trouvent presque l'un à côté de l'autre. Ceux qui ont envie d'exercer leurs jambes de danseur iront aux très chaleureuses afters du Club der Visionäre (p. 109), au bord de la rivière. Chaque dimanche soir, c'est aussi la fête au Café Fatal du club SO36 (p. 109) – un spectacle, de la disco et même des leçons de danse – et, pour les gays, au GMF dans le Café Moskau (p. 61).

>LES QUARTIERS

La Potsdamer Platz (p. 80), un carrefour moderne au centre de l'action à toute heure

LES QUARTIERS DE BERLIN

Reconstruite sur les cendres de la guerre, Berlin est une ville moderne, très étendue, présentant une mosaïque de quartiers bien structurés, chacun avec une identité singulière. Les Berlinois leur donnent le nom affectueux de *Kieze*.

Au centre, se trouve le quartier historique de Mitte, un mélange détonant de culture, d'architecture et d'activité commerciale, où se trouvent les monuments les plus imposants : la porte de Brandebourg, le mémorial de l'Holocauste, l'île des Musées et la tour de la télévision. Unter den Linden rappelle le glorieux passé de l'empire prussien, tandis que l'élégante Friedrichstrasse est bordée de boutiques, de restaurants et de théâtres. Au nord de la trépidante Alexanderplatz, on entre dans Scheunenviertel, avec ses Hackesche Höfe (des cours) superbement restaurées, ses nombreux bars, galeries et boutiques excentriques.

Cependant, pour apprécier vraiment Berlin, il faut laisser là le gros de la troupe des touristes. Au nord de Mitte, le quartier principalement résidentiel de Prenzlauer Berg est très plaisant à explorer et vous y trouverez des endroits sortant de l'ordinaire pour un verre, un spectacle de cabaret, un dîner ou une soirée musicale. Au sud de Mitte, Kreuzberg est un quartier du même style, très vivant. Sa partie orientale, pas très reluisante, accueille la population turque et aussi de folles soirées le long de la Spree, alors que sa partie occidentale, autour de Bergmannstrasse, respire le chic bohème de bon goût. Checkpoint Charlie et le Musée juif constituent les principales attractions de Kreuzberg.

Si l'on traverse la Spree, on pénètre dans Friedrichshain, quartier encore marqué par son passé ouvrier socialiste, mais résolument jeune et tourné vers le futur. Ses principaux atouts sont une vie nocturne effervescente, le plus long tronçon qui reste du mur de Berlin et la Karl-Marx-Allee.

À l'ouest de Mitte, Tiergarten s'enorgueillit de posséder l'édifice du Reichstag, outre la plupart des grands projets urbains d'après la réunification : la Potsdamer Platz, le quartier du Gouvernement et la gare principale. Le parc de Tiergarten relie Mitte à Charlottenburg, cœur de Berlin-Ouest, parfait pour le shopping le long du Kurfürstendamm. Le quartier, abritant le somptueux château qui lui donne son nom, reste résidentiel et très huppé, comme l'est aussi son voisin Schöneberg, connu pour son quartier gay et lesbien autour de la Nollendorfplatz.

0
1 km
PRENZLAUER BERG (p. 89)
Tiergarten
MITTE – SCHEUNENVIERTEL (p. 63)
LE REICHSTAG ET LE QUARTIER DU GOUVERNEMENT (p. 77)
Spree
Panke
Mitte
MITTE – L'ALEXANDERPLATZ ET SES ENVIRONS (p. 57)
MITTE – UNTER DEN LINDEN ET L'ÎLE DES MUSÉES (p. 43)
Nikolaiviertel
LA POSTDAMER PLATZ ET TIERGARTEN (p. 81)
Kulturforum
FRIEDRICHSHAIN (p. 119)
CHARLOTTENBURG (p. 129)
Kreuzberg
KREUZBERG OUEST (p. 111)
KREUZBERG EST (p. 101)
SCHÖNEBERG (p. 143)
Wilmersdorf
Treptow

MITTE – UNTER DEN LINDEN ET L'ÎLE DES MUSÉES

La voie la plus splendide de Berlin s'étend, depuis l'est de la porte de Brandebourg, en un long ruban sur 1,5 km à travers le cœur historique de la ville. Avant d'être transformé en "vitrine"au XVIIIe siècle, Unter den Linden n'était qu'une allée cavalière qui rejoignait le domaine de chasse royal de Tiergarten. Tels des soldats prussiens à la revue, les monuments s'alignent le long du boulevard, offrant une parfaite introduction au passé monarchique de Berlin.

Unter den Linden s'étend jusqu'à l'île des Musées (Museumsinsel) qui regroupe quatre musées prestigieux abritant des œuvres d'art de tout premier ordre. Un cinquième, le Nouveau Musée (Neues Museum), ouvrira

UNTER DEN LINDEN ET L'ÎLE DES MUSÉES

VOIR

Ancienne Galerie nationale	**1**	E1
Ancien Musée	**2**	E2
Bebelplatz	**3**	D3
Berliner Dom	**4**	F2
Centre d'informations du château de Berlin	**5**	E4
Musée Bode	**6**	E1
Porte de Brandebourg	**7**	A3
Musée Guggenheim	**8**	D3
Deutscher Dom	**9**	D4
Musée de l'Histoire allemande	**10**	E2
DZ Bank	**11**	A3
Französicher Dom	**12**	D3
Église Friedrichswerdersche	**13**	E3
Gendarmenmarkt	**14**	D4
Bunker d'Hitler	**15**	B4
Mémorial de l'Holocauste	**16**	A3
Centre d'informations dans le mémorial de l'Holocauste	**17**	A3
Hotel Adlon Kempinski	**18**	B3
Université Humboldt	**19**	D2
Extension IM Pei	**20**	E2
Musée Kennedy	**21**	B2
Neue Wache	**22**	E2
Nouveau Musée (en construction)	**23**	E2
Palais de la République/ futur Humboldt Forum	**24**	F2
Pariser Platz	**25**	A3
Musée de Pergame	**26**	E1
Quartier 205	**27**	D4
Quartier 206	**28**	D4
Statue équestre de Frédéric II	**29**	D2
Cathédrale Sainte-Edwige	**30**	E3

SHOPPING

Berlin Story	**31**	C2
Department Store 206	**32**	D4
Dussmann- Das Kulturkaufhaus	**33**	C2
Galeries Lafayette	**34**	D3

SE RESTAURER

Borchardt	**35**	D3
Good Time	**36**	E4
Ishin Mitte	**37**	C2
Margaux	**38**	B2
Samâdhi	**39**	B3
Zwölf Apostel	**40**	D1

PRENDRE UN VERRE

Newton	**41**	D4
Strandbar Mitte	**42**	E1
Tadschikische Teestube	**43**	E2
Windhorst	**44**	C2

SORTIR

Admiralspalast	45	C1
Berliner Ensemble	46	C1
Cookies	47	C3
Opéra comique	48	C3
Billetterie de l'opéra comique	49	C3
Konzerthaus Berlin	50	D4
Ruderclub Mitte	51	E1
Opéra national Unter den Linden	52	E3

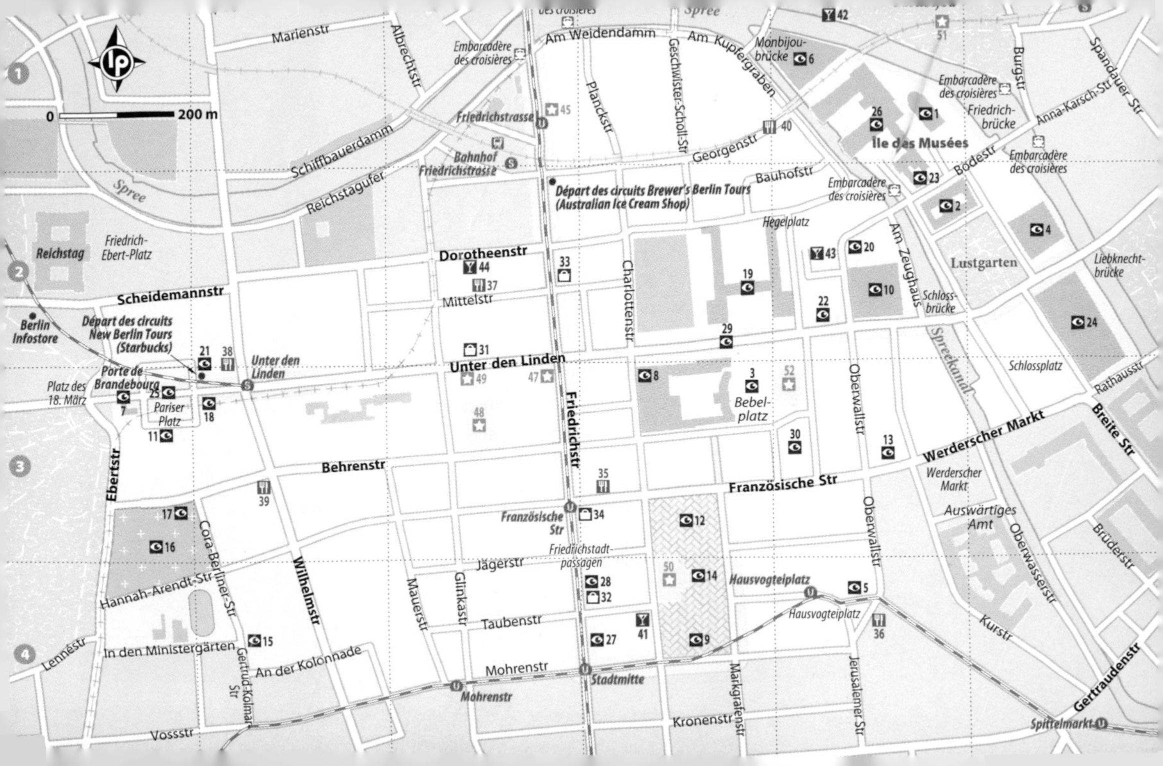

0
200 m
Marienstr
Albrechtstr
Embarcadère des croisières
Am Weidendamm
Am Kupfergraben
Monbijou-brücke
Spree
Planckstr
Geschwister-Scholl-Str
Friedrichstrasse
Schiffbauerdamm
Reichstagufer
Bahnhof Friedrichstrasse
Georgenstr
Bauhofstr
Île des Musées
Friedrich-brücke
Anna-Karsch-Str
Burgstr
Spandauer Str
Bodestr
Départ des circuits Brewer's Berlin Tours (Australian Ice Cream Shop)
Hegelplatz
Reichstag
Friedrich-Ebert-Platz
Dorotheenstr
Mittelstr
Charlottenstr
Am Zeughaus
Lustgarten
Liebknecht-brücke
Schloss-brücke
Scheidemannstr
Berlin Infostore
Départ des circuits New Berlin Tours (Starbucks)
Porte de Brandebourg
Platz des 18. März
Pariser Platz
Unter den Linden
Spreekanal
Schlossplatz
Rathausstr
Bebel-platz
Oberwallstr
Werderscher Markt
Breite Str
Behrenstr
Friedrichstr
Französische Str
Ebertstr
Werderscher Markt
Auswärtiges Amt
Cora-Berliner-Str
Wilhelmstr
Friedrichstadt-passagen
Jägerstr
Mauerstr
Glinkastr
Taubenstr
Hausvogteiplatz
Hannah-Arendt-Str
Oberwasserstr
Brüderstr
Kurstr
Lennéstr
In den Ministergärten
An der Kolonnade
Gertrud-Kolmar-Str
Mohrenstr
Stadtmitte
Markgrafenstr
Jerusalemer Str
Gertraudenstr
Kronenstr
Vossstr
Spittelmarkt

en 2009. L'ensemble des quatre musées a été classé au patrimoine mondial de l'humanité par l'Unesco en 1999. À proximité, sur la Schlossplatz, on est en train de démanteler le palais de la République, le parlement de la RDA.

Unter den Linden est à peu près mort quand tombe la nuit, mais heureusement la Friedrichstrasse, qui le coupe, ne l'est pas. Depuis la réunification, cette rue assume à nouveau son rôle historique de centre du luxe, alignant les grandes marques de la mode, les restaurants et les bars huppés. Son chic se propage jusqu'à la proche Gendarmenmarkt, la plus belle place de Berlin. Au nord du boulevard, la Friedrichstrasse conduit à l'ancien quartier des théâtres.

VOIR

ANCIENNE GALERIE NATIONALE

Alte National Galerie ; ☎ 2090 5577 ; www.smb.spk-berlin.de ; Bodestrasse 1-3 ; tarif plein/réduit 8/4 €, gratuit moins de 16 ans et pour tous 18h-22h jeu ; 10h-18h mar-dim, 10h-22h jeu ; 100, 200, TXL ;

Cet élégant temple grec de l'île des Musées héberge une remarquable collection d'art européen du XIXe siècle. Parmi les chefs-d'œuvre, se détachent les paysages mystiques de Caspar David Friedrich, les portraits de Max Liebermann et les fresques d'Adolph Menzel .

ANCIEN MUSÉE

Altes Museum ; ☎ 2090 5577 ; www.smb.spk-berlin.de ; Am Lustgarten ; tarif plein/réduit 4/8 €, gratuit moins de 16 ans et pour tous 18h-22h jeu ; 10h-18h mar-dim, 10h-22h jeu ; 100, 200, TXL ;

Karl Friedrich Schinkel construisit ce premier bâtiment sur l'île des Musées en 1830. Sa rotonde inspirée du Panthéon abrite une magnifique collection d'art et de sculptures de la Grèce et de la Rome antiques, mais la vedette – la reine Néfertiti – est à l'étage dans le Musée égyptien, toujours aussi belle après quelque 3 300 années.

LES ÉPREUVES ENDURÉES PAR LA CATHÉDRALE

Quand l'empereur Guillaume II inaugura la Berliner Dom (cathédrale de Berlin, ci-contre) en 1905, il voulut en faire le pendant protestant de la basilique Saint-Pierre à Rome. Les Berlinois cependant ne furent nullement impressionnés. Les critiques pleuvaient : trop grande, pompeuse, de mauvais goût. La plus haute en couleurs disait même qu'elle semblait "l'œuvre d'un anatomiste qui aurait pris 20 parties à des chevaux différents pour créer le cheval idéal". Plus d'un siècle après, elle a survécu à d'autres épreuves que le ridicule. Gravement endommagée pendant la Seconde Guerre mondiale, elle échappa de justesse à la démolition, puis passa les décennies suivantes à se dégrader. Quand sa restauration fut achevée en 1993, les visiteurs de la génération moderne l'adorèrent tout de suite.

BEBELPLATZ

Place Bebel ; 100, 200, TXL
Micha Ullmann a résolument opté pour la sobriété dans sa poignante réalisation architecturale commémorant l'infâme autodafé de livres, organisé par les nazis sur cette place en 1933 : à travers le panneau de verre posé en son centre, vous n'apercevrez rien d'autre qu'une pièce blanche et désolée, aux rayonnages vides. Les édifices majestueux autour de la place furent construits par Frédéric le Grand en vue de créer un centre culturel, le *Forum Fridericianum*, jamais achevé.

Bateaux de croisière sur la Spree passant devant le musée Bode

BERLINER DOM

Cathédrale de Berlin ; 202 690 ; www.berliner-dom.de ; Am Lustgarten ; tarif plein/réduit 5/3 € ; moins de 14 ans gratuit, église et crypte 9h-20h lun-sam, 12h-20h dim avr-sept, 12h-19h oct-mars, galerie 9h-20h avr-sept, 9h-17h oct-mars, dernière entrée 1 heure avant la fermeture ; 100, 200, TXL ;
Majestueuse, l'ancienne église de la famille royale prussienne est aujourd'hui lieu de culte, musée et salle de concert. Oubliez la crypte, grimpez les marches menant à la galerie pour admirer l'étonnante mosaïque de verre ornant la coupole, ainsi que la vue sur la ville. Découvrez aussi l'orgue aux 7 269 tuyaux, construit par Sauer, ainsi que des sarcophages de marbre et de bronze.

MUSÉE BODE

2090 5577 ; www.smb.spk-berlin.de ; Monbijoubrücke ; tarif plein/réduit 4/8 €, gratuit moins de 16 ans et pour tous 18h-22h jeu ; 10h-18h ven-mer, 10h-22h jeu ; Hackescher Markt ;
Depuis 2006, le musée Bode superbement restauré a rouvert à la pointe de l'île des Musées.

Il comprend un musée d'Art byzantin, un cabinet des Monnaies, des peintures anciennes et de splendides sculptures européennes (du Moyen Âge au XVIIIe siècle) Recherchez les chefs-d'œuvres de Tilmann Riemenschneider, Donatello, Giovanni Pisano et Ignaz Günther.

PORTE DE BRANDEBOURG

Brandenburger Tor ; Pariser Platz ; entrée gratuite ; 24 h/24 ; Unter den Linden ;

Symbole de division durant la guerre froide, elle incarne aujourd'hui la réunification allemande. Conçue en 1791 par Carl Gotthard Langhans, cette porte est la seule qui subsiste sur les dix-huit que comptait Berlin. Au sommet, trône le *Quadrige*, une sculpture représentant la déesse de la Victoire ailée conduisant un char tiré par des chevaux. Voir aussi p. 22.

MUSÉE GUGGENHEIM

202 0930 ; www.deutsche-guggenheim.de ; Unter den Linden 13-15 ; tarif plein/réduit/famille 4/3/8 €, gratuit lun ; 11h-20h ven-mer, 11-22h jeu ; 100, 200, TXL ;

Cette petite galerie minimaliste – appartenant conjointement à la Deutsche Bank et à la Fondation Guggenheim – organise des expositions d'artistes contemporains internationaux de renom, tels que Jackson Pollock ou Joseph Beuys, mais elles peuvent être décevantes.

BON PLAN

Si vous avez décidé de visiter plusieurs musées sur l'île des Musées, vous économiserez en prenant un billet commun à 12 € (6 € tarif réduit). Ce billet donne droit à une entrée dans la même journée à l'Ancien Musée (p. 44), au musée Bode (p. 44), à l'Ancienne Galerie nationale (p. 44) et au musée de Pergame (p. 50).

MUSÉE DE L'HISTOIRE ALLEMANDE

Deutsches Historisches Museum ; 2030 4444 ; www.dhm.de ; Unter den Linden 2 ; adulte/moins de 18 ans 4 €/gratuit ; 10h-18h ; 100, 200, TXL ;

Dans ce musée engageant, parcourez 2 000 ans d'histoire allemande. Ne manquez pas le gros globe d'Hitler (où l'Allemagne et l'Autriche ont été trouées par les balles !) ni les baroques masques mortuaires de soldats dans la cour. Des expositions ont lieu dans l'annexe (extension IM Pei), réalisée par le "mandarin du modernisme", l'architecte leoh Ming Pei.

DZ BANK

2024 1333 ; Pariser Platz 3 ; entrée gratuite ; 8h-19h lun-ven ; Unter den Linden ;

Vous verrez une façade de banque complètement nue, mais passez les lourdes portes et le constraste est extraordinaire. Conçue par le décontructiviste Frank Gehry, elle cache un vaste atrium, au centre duquel une salle de conférence épouse la forme d'une indéfinissable sculpture... un poisson ? Vous en jugerez par vous-même.

FRIEDRICHSTADTPASSAGEN

Friedrichstrasse ; Französische Strasse ;

D'une architecture originale et reliées entre elles, ces trois prestigieuses galeries commerçantes (C3 ; appelées Quartiers) ont aidé la Friedrichstrasse à retrouver son luxueux standing d'avant la Seconde Guerre mondiale. Ne manquez pas le cône en verre translucide de Jean Nouvel dans les Galeries Lafayette (p. 51), l'éblouissant ensemble d'inspiration Art déco de Quartier 206, ni la tour de métal écrasé de John Chamberlain dans le Quartier 205.

ÉGLISE FRIEDRICHSWERDERSCHE

2090 5577 ; www.smb.spk-berlin.de ; Werderscher Markt ; entrée gratuite ; 10h-18h ; Hausvogteiplatz

Cette église aux tourelles insolites, édifiée par Karl Friedrich Schinkel, abrite aujourd'hui des sculptures du XIXe siècle. L'exposition sur la vie et l'œuvre de l'architecte ne passionnera que ses admirateurs.

GENDARMENMARKT

Französische Strasse

La place la plus harmonieuse de Berlin doit son nom au régiment prussien des "Gens d'armes", huguenots français réfugiés dans la ville. La Französischer Dom (église française), leur lieu de culte, abrite

Sur Unter den Linden (p. 42), on peut flâner les yeux grands ouverts ou se délasser autour d'un verre

aujourd'hui un petit musée dédié à leur histoire. L'église française fait pendant à sa jumelle, la Deutscher Dom (l'église allemande), qui organise des expositions peu palpitantes sur l'histoire politique allemande. Entre les deux édifices, la superbe Konzerthaus de Schinkel (p 55).

BUNKER D'HITLER

In den Ministergärten et Gertrud-Kolmar-Strasse ; Unter den Linden

Le site du bunker, où Hitler s'est donné la mort, est aujourd'hui un parking, mais il y a un panneau qui relate ses derniers jours. On y voit aussi un schéma du vaste réseau que formait le bunker, complété par des informations techniques sur sa construction et sur son histoire après la fin de la Seconde Guerre mondiale.

MÉMORIAL DE L'HOLOCAUSTE

Holocaust Denkmal ; 2639 4336 ; www.holocaust-mahnmal.de ; Ebertstrasse ; entrée gratuite ; mémorial 24h/24, centre d'informations 10h-20h (dernière admission 19h15) mar-dim avr-sept, 10h-19h (dernière admission 18h15) mar-dim oct-mars ; Unter den Linden ;

Le mémorial des Juifs d'Europe victimes du génocide pendant la Seconde Guerre mondiale (son nom officiel) est un nouveau site chargé d'une intense émotion, avec ses 2 711 stèles de béton installées sur un vaste terrain évoquant un cimetière abstrait. Il a obtenu le prestigieux prix de l'American Institute of Architects en 2007. Visitez aussi le centre d'informations (Ort der Information) qui retrace le destin tragique des juifs.

Photographies du président et de sa famille au musée Kennedy

HOTEL ADLON KEMPINSKI

226 10 ; www.hotel-adlon.de ; Unter den Linden 77 ; Unter den Linden ;
Surplombant la porte de Brandebourg, ce fleuron du luxe à Berlin s'appelait jadis le *Grand Hotel,* où fut tourné en 1932 le film du même nom avec Greta Garbo. Depuis son ouverture en 1907, il a toujours attiré les célébrités : Charlie Chaplin, Albert Einstein et Michael Jackson. La star brandissant son fils au-dessus de la fenêtre… c'était à l'Adlon.

UNIVERSITÉ HUMBOLDT

Humboldt Universität ; 2093 2951 ; Unter den Linden 6 ; 100, 200, TXL ;
Marx et Engels ont étudié dans cette université, la plus ancienne de Berlin, les frères Grimm et Albert Einstein y ont enseigné. Depuis 1810, elle occupe un ancien palais royal. À l'entrée, au pied des statues de son fondateur, le philosophe Wilhelm von Humboldt, et de son frère explorateur Alexander, vous verrez souvent des bouquinistes.

MUSÉE KENNEDY

2065 3570 ; www.thekennedys.de ; Pariser Platz 4a ; tarif plein/réduit 7/3,50 ; 10h-18h ; Unter den Linden ;
L'ancien président des États-Unis, John F. Kennedy, qui prononça le discours historique *"Ich bin ein Berliner"*, est au centre de cette exposition. Mais la politique fait place à l'intimité de l'homme : photos annotées de sa main, son porte-documents en croco, la toque d'Astrakhan de Jackie et une désopilante édition de *Superman* mettant en scène le président.

UN MOMENT ÉCŒURANT

La porte de Brandebourg (p. 46) a été au centre des événements clés de l'histoire allemande. En 1933, quand Hitler fut nommé chancelier, des milliers de nazis célébrèrent son accession au pouvoir en organisant un cortège aux flambeaux sous la porte. Mais tout le monde ne se réjouissait pas ; après avoir observé la scène, l'artiste impressionniste Max Liebermann dit avec dégoût : "Je ne pourrai jamais manger autant que j'ai envie de vomir aujourd'hui". Peu après, ses peintures étaient interdites.

NEUE WACHE

Unter den Linden 4 ; entrée gratuite ; 10h-18h ; 100, 200, TXL ;
Construction de Schinkel, dans le style d'un temple romain, cet ancien corps de garde royal est aujourd'hui un mémorial dédié aux victimes de la guerre. Vous y verrez la poignante sculpture de Käthe Kollwitz, *Mère avec son fils mort.*

PARISER PLATZ

Unter den Linden, 100, 200, TXL
Semblable à une sentinelle, la porte de Brandebourg veille sur cette élégante place qui fut

LE RETOUR DU CHÂTEAU DE BERLIN

Rien de l'actuelle Schlossplatz n'évoque la mémoire de l'édifice magnifique qui s'élévait sur ces lieux de 1451 à 1951 : le château de Berlin (Berliner Stadtschloss), qui fut durant des siècles la résidence principale de la famille royale des Hohenzollern. En 1951, malgré les protestations émanant du monde entier, la RDA démolit l'édifice à peine endommagé durant la guerre et le remplaça par le palais de la République (Palast der Republik). Cette structure abrita le Parlement de l'Allemagne de L'Est en même temps qu'elle servait de scène aux congrès et événements culturels.

Mais vint aussi le tour pour le palais de la République de ne plus exister que dans les livres d'histoire. Après dix ans de débats enflammés, sa démolition a débuté en 2006 et doit se poursuivre jusqu'à la fin de 2008. Il devrait laisser place à l'ancien château reconstruit à l'identique à l'extérieur, mais modernisé de l'intérieur. Ce sera le Humboldt Forum qui abritera les arts d'Afrique, d'Asie, d'Océanie et des Amériques actuellement exposés à Dahlem, dans la grande banlieue de Berlin. À cette collection viendront s'adjoindre une bibliothèque centrale et une annexe de l'université Humboldt consacrée à la recherche scientifique. Le chantier devrait débuter au plus tôt en 2010. En attendant, contemplez la maquette du projet présentée dans le **centre d'informations du château de Berlin** (Berliner Schloss Infocenter ; ☎ 2067 3093 ; Hausvogteiplatz 3 ; entrée gratuite ; 🕒 9h30-18h).

complètement détruite pendant la Seconde Guerre mondiale, puis, au cours de la guerre froide, confinée juste à l'est du Mur. Aujourd'hui, elle est à nouveau bordée d'ambassades, de banques et de l'Hotel Adlon, comme du temps de sa gloire au XIXe siècle, lorsqu'elle devint le "grand salon" de l'empereur.

MUSÉE DE PERGAME

☎ 2090 5555 ; www.smb.spk-berlin.de ; Am Kupfergraben 5 ; tarif plein/réduit 8/4 €, gratuit moins de 16 ans et pour tous 18h-22h jeu ; 🕒 10h-18h ven-mer, 10h-22h jeu ; 🚌 100, 200, TXL

Cette "caverne d'Ali Baba", regorgeant des chefs-d'œuvre du passé, attire plus de monde que tout autre musée de Berlin. L'entrée comprend un audioguide bien conçu qui décrit les pièces maîtresses à découvrir, notamment l'imposant autel de Pergame, la magnifique porte bleue d'Ishtar et le palais du calife. Voir p. 11.

STATUE ÉQUESTRE DE FRÉDÉRIC II

Unter den Linden, près de Bebelplatz ; 🚌 100, 200, TXL

Frédéric le Grand dresse son imposante silhouette sur la selle de ce célèbre monument de 1850, qui occupa Christian Daniel Rauch pendant une douzaine d'années. Sur le socle, remarquez le véritable bottin mondain de militaires, de scientifiques, d'artistes et de penseurs allemands renommés.

CATHÉDRALE SAINT-EDWIGE

203 4810 ; www.hedwigs-kathedrale.de ; Behrenstrasse 39 ; entrée gratuite ; 10h-17h lun-sam, 11h-17h dim ; 100, 200, TXL ;

Dominant la Bebelplatz, cette église à la coupole de cuivre, inspirée par le Panthéon, fut le seul lieu de culte catholique de Berlin jusqu'en 1854.

SHOPPING

BERLIN STORY *Librairie*

2045 3842 ; www.berlinstory.de ; Unter den Linden 40 ; 10h-20h ; Friedrichstrasse

La meilleure librairie pour ses livres, cartes, DVD, CD et magazines consacrés à Berlin. À l'arrière du magasin, une exposition et un petit film constituent une bonne introduction à l'histoire de la ville.

DEPARTMENT STORE 206 *Grand magasin*

2094 6800 ; www.departmentstore-quartier206.de ; Friedrichstrasse 71, Quartier 206 ; 11h-20h lun-ven, 10h-18h sam ; Französische Strasse

Haut lieu du luxe, ce grand magasin est un véritable théâtre mettant en scène les marques les plus prestigieuses, outre un rayon d'ameublement, de musique, de papeterie et de produits de beauté rares. Sa fascinante architecture vaut à elle seule le déplacement.

DUSSMANN – DAS KULTURKAUFHAUS *Livres et musique*

2025 1111 ; http://kulturkaufhaus.shop-asp.de en allemand ; Friedrichstrasse 90 ; 10h-minuit lun-sam ; Friedrichstrasse

On perd vite la notion du temps dans cet antre de l'information médiatique, doté de coins lecture, d'un café et d'un plateau pour les concerts, les débats politiques télévisés, et les séances de lecture ou de signature par des auteurs souvent renommés.

GALERIES LAFAYETTE *Grand magasin*

209 480 ; www.lafayette-berlin.de en allemand ; Friedrichstrasse 76 ; 10h-20h lun-sam ; Französische Strasse

La spectaculaire architecture de verre confère un glamour parisien à ce temple de la mode, le plus chic de Berlin. Prada et les autres vous y attendent : au 1er étage, la lingerie sexy d'Agent Provocateur, au second les créateurs berlinois avant-gardistes. Le sous-sol est réservé aux gourmets.

SE RESTAURER

BORCHARDT

Franco-allemand €€€-€€€€

8188 6262 ; fax 8188 6249 ; Französische Strasse 47 ; 12h-minuit ; Französische Strasse

Ancien traiteur à la cour de Prusse, Borchardt a donné son nom à cette institution de Mitte, rendez-vous de ceux qui comptent dans la politique et le cinéma. La *Wiener Schnitzel* – mince et juteuse – passe pour l'une des meilleures de Berlin.

GOOD TIME *Asiatique* €€

☎ 2007 4870 ; www.goodtime-berlin.de en allemand ; Hausvogteiplatz 11a ; 12h-minuit ; Hausvogteiplatz ; V

Endroit chaleureux au décor contemporain. La cuisine thaïlandaise et indonésienne, aux accents de gingembre, cacahuètes et piments, est authentique et les ingrédients de toute fraîcheur. Régalez-vous de satays, de curries ou d'un *rijsttafel* (sélection de petits plats servis avec du riz). Laissez un peu de place pour les bananes frites au miel avec glace à la vanille.

ISHIN MITTE *Sushis* €-€€

☎ 2067 4829 ; www.ishin.de en allemand ; Mittelstrasse 24 ; 11h-20h lun-sam ; Friedrichstrasse

Vaste cantine de sushis très animée. 2/10 pour le cadre, 10/10 pour la qualité et la fraîcheur des sushis. Les assiettes assorties sont copieuses, et on vous y glisse souvent une ou deux bouchées en plus. Les prix sont déjà bas, mais ils le sont encore plus pendant la Happy Hour (mercredi et samedi toute la journée, et de 11h à 16h les autres jours). Thé vert gratuit.

MARGAUX *Français* €€€€

☎ 2265 2611 ; www.margaux-berlin.de en allemand ; Unter den Linden 78 ; 19h-22h30 lun-sam ; Unter den Linden

Au Zwölf Apostel ("Douze Apôtres"), manger une pizza devient une expérience religieuse

Michael Hoffmann, le petit génie de la gastronomie, a su convertir Berlin et les goûteurs du Michelin à sa créative réinvention des classiques français. Au programme de votre dîner : des ingrédients de premier choix, des saveurs raffinées et une présentation artistique, qui paraissent encore meilleurs entre les murs d'onyx rétro-éclairés, le velours marron et le reflet des miroirs anciens. En un mot, pour une clientèle distinguée. L'entrée est dans Wilhelmstrasse.

SAMÂDHI *Végétarien* €€

2248 8850 ; www.samadhi-vegetarian.de ; Wilhelmstrasse 77 ; 12h-15h et 18h-23h mar-sam, 12h-23h dim ; Unter den Linden ; V

Pas de viande dans ce restaurant du centre, tenu par d'anciens réfugiés vietnamiens. À la lecture du menu, des plats exotiques aiguisent la curiosité tels le melon amer au curry et le *how mok*, flan de légumes servi dans une feuille de bananier.

ZWÖLF APOSTEL *Italien* €€

201 0222 ; www.12-apostel.de en allemand ; Georgenstrasse 2 ; 11h-minuit ; Friedrichstrasse

Cet endroit en dessous des arches du chemin de fer constitue une agréable pause entre deux musées. Décor religieux kitsch pour de savoureuses pizzas à fine croûte au nom des 12 apôtres. 6,50 € chacune, de 11h30 à 16h, du lundi au vendredi.

PRENDRE UN VERRE

NEWTON *Bar*

2061 2990 ; info@newton-bar.de ; Charlottenstrasse 57 ; 10h-3h ; Französische Strasse

Il n'est pas d'adresse plus chic que sur la Gendarmenmarkt : ce bar élégant aux murs ornés de nus d'Helmut Newton est le rendez-vous de la population aisée de Mitte depuis une éternité.

STRANDBAR MITTE

Bar de plage

2408 4788 ; www.strandbar-mitte.de ; Monbijoustrasse 1-3 ; à partir de 10h mai-sept ; Oranienburger Strasse

Cette aire de récréation au bord de la rivière a lancé la mode des bars de plage en 2002. Depuis, quand mai arrive, les camions apportent sable, palmiers et chaises longues à la lisière du parc Monbijou, pour une autre saison de "Copacabana sur la Spree". Allez-y quand le soleil couchant illumine la façade du musée Bode.

TADSCHIKISCHE TEESTUBE

Café

204 1112 ; Am Festungsgraben 1 ; 17h-minuit lun-ven, 15h-minuit sam et dim ; 100, 200, TXL

Caché dans un palais du XVIIIe siècle, cet authentique salon de thé tadjik est enchanteur. Les piliers de bois de santal sculptés, les épais oreillers, les samovars créent un décor parfait pour une cérémonie du thé à la russe (8 €), avec petits gâteaux et vodka . Chaussures et cigarettes interdites. N'y dînez pas.

WINDHORST *Bar*

2045 0070 ; Dorotheenstrasse 65 ; à partir de 18h lun-ven, de 21h sam ; Friedrichstrasse

Dans l'ombre de la forteresse que constitue l'ambassade des États-Unis, un bar sélect digne d'un palace, qui plaira à ceux qui recherchent une ambiance classique et sophistiquée. Fabuleuse carte des cocktails maison.

SORTIR

ADMIRALSPALAST *Théâtre*

4799 7499 ; www.admiralspalast.de en allemand ; Friedrichstrasse 101-102 ; places 12-61 € ; Friedrichstrasse

Ce palais de réception datant de 1920 a rouvert ses portes en 2006 après une splendide restauration et présente de nouveau comédies musicales, concerts et pièces comiques grand public sur sa grandiose scène principale et deux plus petites. Un café, un club et un spa doivent être créés en 2007-2008.

BERLINER ENSEMBLE *Théâtre*

2840 8155; www.berliner-ensemble.de en allemand ; Bertolt-Brecht-Platz 1 ; places 2-30 € ; Friedrichstrasse

Ce théâtre néobaroque abrite la compagnie fondée en 1949 par Bertolt Brecht. Son *Opéra de quat'sous* s'y joua pour la première fois en 1928. Le directeur artistique, Claus Peymann, perpétue l'héritage du maître, tout en pimentant le répertoire d'œuvres de Schiller, Beckett et autres grands dramaturges européens.

COOKIES *Club*

Friedrichstrasse 158-164 ; 21h-5h mar et jeu ; entrée 10 € ; Französische Strasse

La septième incarnation de ce légendaire palais, dédié aux soirées du milieu de semaine, a vu le jour en janvier 2007 dans un cinéma désaffecté de Berlin-Est. Une fois passée la haie de physionomistes malveillants, vous danserez entouré de personnes sympathiques ou siroterez le cocktail maison, le Watermelon Man. Peut-être apercevrez-vous quelques célébrités.

OPÉRA COMIQUE *Opéra*

4799 7400 ; www.komische-oper-berlin.de ; Behrenstrasse 55-57, billeterie Unter den Linden 41 ; places 8-93 € ; Französische Strasse

Opéras légers, opérettes et concerts sont au programme de la salle la plus réputée de Mitte. La lourde façade dissimule un riche intérieur néobaroque qui n'a pas changé depuis les années 1890. Tous les spectacles sont chantés en allemand.

KONZERTHAUS BERLIN *Musique classique*

☎ 203 090 ; www.konzerthaus.de ; Gendarmenmarkt 2 ; places 13-43 € ; Französische Strasse

Ce temple de la musique classique, conçu par Schinkel, abrite le Konzerthausorchester, mais d'autres orchestres, tel le Rundfunk-Sinfonieorchester Berlin, viennent y donner des concerts.

RUDERCLUB MITTE *Club*

www.ruderclub-mitte.de ; S-Bahn Bögen 157-158 ; 23h-8h mer-sam ; Hackescher Markt

Faire revenir la musique électronique de qualité dans le Mitte est la mission que s'est donnée ce tout nouveau club, en retrait de la Kleine Präsidentenstrasse, où se produisent souvent des DJ célèbres de Berlin, comme Tanith et Namito, ou de passage, comme Mark Reeder et Jack Flash. Sous les arches du S-Bahn dans le parc Monbijou.

OPÉRA NATIONAL UNTER DEN LINDEN *Opéra*

☎ 2035 4438, places 2035 4555 ; www.staatsoper-berlin.de ; Unter den Linden 5-7 ; places 5-160 € ; Französische Strasse

L'opéra le plus ancien et le plus prestigieux de Berlin est dirigé par Daniel Barenboim qui met l'accent sur des représentations allant du classique à l'expérimental. Il aime aussi inviter artistes, architectes et réalisateurs de films à assumer le rôle de directeur. Les opéras sont chantés dans leur langue d'origine.

Rencontre du tram et du train à la gare de Friedrichstrasse

MITTE – L'ALEXANDERPLATZ ET SES ENVIRONS

Bruyante, survoltée et chaotique, l'Alexanderplatz (familièrement appelée "Alex") n'est pas le genre de place qui vous invite à la flânerie, mais c'est un bon repère dans la ville. Levez les yeux et il est impossible que vous ne l'aperceviez pas… la tour de la télévision, qui se détache du paysage urbain comme une grande asperge. Dans les années 1960, construite pour servir de vitrine à l'architecture socialiste, elle se devait d'être le plus haut édifice de la place.

Malgré les efforts après la réunification d'adoucir son austérité socialiste, l'Alexanderplatz reste étouffante, encombrée de boutiques, d'un hôtel, d'une fontaine, d'un monument et d'une immense gare. Pour trouver un peu d'air, il faut aller à l'ouest de la tour de la télévision, où les urbanistes de l'Allemagne de l'Est ont rasé ce qui restait du vieux Berlin, n'épargnant que l'église Sainte-Marie et l'hôtel de ville de Berlin (Berliner Rathaus). Une fois qu'ils eurent fait place nette, ils reconstruisirent près de là un pseudo quartier médiéval, le Nikolaiviertel.

LES ENVIRONS DE L'ALEXANDERPLATZ

VOIR

Hôtel de ville de Berlin....1 B3
Musée de la RDA..............2 A3
Maison de l'Industrie électrique........................3 D1
Maison de l'Enseignant...4 E2
Église Sainte-Marie.........5 B2
Fontaine de Neptune 6 B2
Park Inn Hotel .... (voir 16)
Sea Life Berlin 7 A2
Tour de la télévision........8 C2
Horloge universelle 9 D2

SHOPPING

Ausberlin.......................10 C1
Galeria Kaufhof............11 C1
Saturn...........................12 D1

SE RESTAURER

Heat............................(voir 2)
Le Provençal..................13 B4
Zur Letzten Instanz.......14 D4

SORTIR

Café Moskau..................15 F2
Casino Berlin 16 D1
Kino International.........17 F2
Week-End.......................18 D1

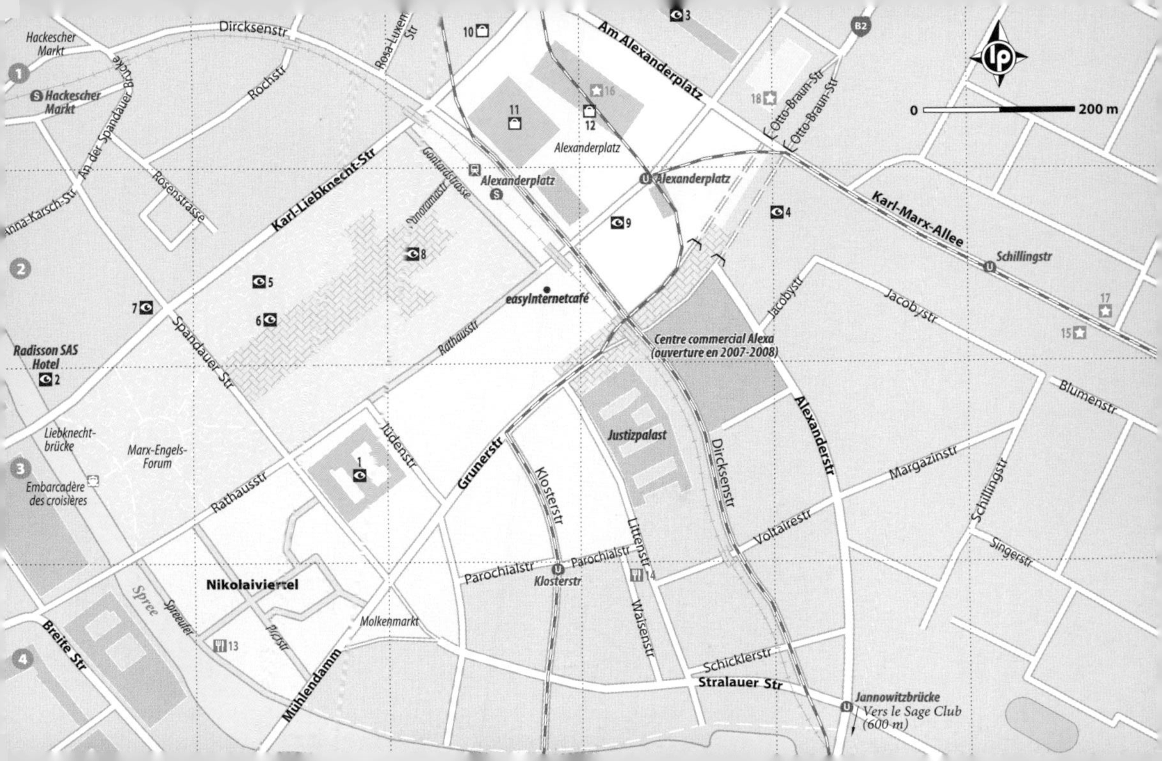

Hackescher Markt
Hackescher Markt
Dircksenstr
Rochstr
Rosa-Luxemburg-Str
An der Spandauer Brücke
Anna-Karsch-Str
Rosenstrasse
Karl-Liebknecht-Str
Gontardstrasse
Panoramastr
Alexanderplatz
Alexanderplatz
Alexanderplatz
Am Alexanderplatz
Otto-Braun-Str
Otto-Braun-Str
Karl-Marx-Allee
Schillingstr
0
200 m
easyInternetcafé
Rathausstr
Spandauer Str
Radisson SAS Hotel
Centre commercial Alexa (ouverture en 2007-2008)
Jacobystr
Jacobystr
Blumenstr
Liebknecht-brücke
Marx-Engels-Forum
Embarcadère des croisières
Jüdenstr
Grunerstr
Klosterstr
Justizpalast
Dircksenstr
Alexanderstr
Margazinstr
Schillingstr
Rathausstr
Voltairestr
Singerstr
Parochialstr
Parochialstr
Klosterstr
Littenstr
Waisenstr
Nikolaiviertel
Spree
Spreeufer
Propststr
Molkenmarkt
Schicklerstr
Stralauer Str
Breite Str
Mühlendamm
Jannowitzbrücke
Vers le Sage Club (600 m)

VOIR

HÔTEL DE VILLE DE BERLIN

Berliner Rathaus ; ☎ 902 60 ; Rathausstrasse 15 ; fermé au public ; Alexanderplatz

Situé au centre géographique exact de la ville, il est le cœur politique de Berlin depuis 1860 : il est occupé par le maire et le gouvernement de la ville. On le surnomme Rotes Rathaus ("hôtel de ville rouge") à cause de la couleur de ses briques et non des tendances politiques de ses occupants...

MUSÉE DE LA RDA

DDR Museum ; ☎ 847 123 731 ; www.ddr-museum.de ; Karl-Liebknecht-Strasse 1 ; tarif plein/réduit 5/3 € ; 10h-20h dim-ven, 10h-22h sam ; 100, 200, TXL ;

En Allemagne de l'Est, dans les crèches les enfants apprenaient à faire pipi tous ensemble, les ingénieurs ne gagnaient guère plus que les paysans et tout le monde, à ce qu'il semble, faisait du nudisme l'été… Voilà les révélations fascinantes de ce petit musée interactif, qui a pour but de nous informer sur la vie quotidienne de l'autre côté du rideau de fer. Un must pour les fans du film *Good Bye, Lenin !*

ÉGLISE SAINTE-MARIE

Marienkirche ; ☎ 242 4467 ; Karl-Liebknecht-Strasse 8 ; entrée gratuite ; 10h-18h avr-oct, 10h-16h nov-mars ; 100, 200, TXL

Dans ce joyau de brique, qui accueille les fidèles depuis le XIIIe siècle, on peut voir la *Danse macabre*, une fresque (en mauvais état) réalisée après l'épidémie de peste de 1486. À l'extérieur, la grandiose fontaine de Neptune (1891), de Reinhold Begas, est entourée de quatre beautés plantureuses représentant les principaux fleuves allemands.

NIKOLAIVIERTEL

Klosterstrasse

Délimité par la Rathausstrasse, la Spandauer Strasse, le Mühlendamm et la Spree, le joli quartier de Nikolaiviertel (B4) est une tentative à la "Disney" de récréer l'ancien cœur médiéval de Berlin autour de l'église Saint-Nicolas datant de 1230, le plus ancien édifice de la ville. Le labyrinthe d'étroites ruelles pavées vaut une petite promenade, mais vous rencontrerez peu de Berlinois dans ses cafés et restaurants, tous assez chers.

SEA LIFE BERLIN

☎ 992 800 ; www.sealifeeurope.com ; Spandauer Strasse 3 ; adulte/enfant/étudiant 14,50/11/13,50 € ; 10h-18h ; 100, 200, TXL ;

Onéreux mais amusant, cet aquarium vous fait remonter la Spree jusqu'à l'Atlantique nord à la découverte des êtres aquatiques variés qui l'habitent. La visite s'achève par une lente remontée en ascenseur à l'intérieur de l'Aquadom, un aquarium cylindrique de 16 m de hauteur plein de poissons tropicaux, situé dans le hall du Radisson SAS Hotel.

TOUR DE LA TÉLÉVISION

Fernsehturm ; ☎ 242 3333 ; www.berlinerfernsehturm.de ; Panoramastrasse 1a ; adulte/moins de 16 ans 8/4 € ; 9h-minuit mars-oct, 10h-minuit nov-fév ; Alexanderplatz

La tour de la télévision est la plus haute structure d'Allemagne, s'élevant à 368 m au-dessus de Berlin, depuis 1969. Arrivez tôt pour éviter la queue et être le premier sur la plate-forme panoramique, à 203 m de hauteur. Par beau temps, de là ou du café à l'étage au-dessus, qui effectue une rotation complète en 30 minutes, vous pourrez repérer tous les principaux sites de la ville.

La vertigineuse tour de la télévision

HORLOGE UNIVERSELLE

Weltzeituhr ; Alexanderplatz ; Alexanderplatz

Lieu de rendez-vous populaire depuis 1969, cette gigantesque horloge est bien située pour découvrir les monuments socialistes qui encadrent l'Alexanderplatz. Repérez la maison de l'Enseignant décorée de frises, la maison de l'Industrie électrique ornée d'une citation tirée du roman d'Alfred Döblin *Berlin Alexanderplatz* et le Park Inn hotel, surnommé la "Tour dortoir".

SHOPPING

Les magasins sur l'Alexanderplatz et ses environs vont être concurrencés par ceux du nouveau et gigantesque complexe commercial Alexa qui doit ouvrir au sud de la place fin 2007.

AUSBERLIN

Cadeaux et souvenirs

☎ 4199 7896 ; www.ausberlin.de en allemand ; Karl-Liebknecht-Strasse 17 ; 10h-20h lun-sam ; Alexanderplatz

Cette boutique sans prétention s'est donnée pour objectif de faire découvrir, promouvoir et vendre des articles uniquement produits à Berlin, et c'est un succès.

Pas de babioles de mauvaise qualité ici, rien que de jolis souvenirs utiles tels des T-shirts, accessoires, jouets, chocolats, CD, lingerie et bijoux, tous fabriqués par des créateurs locaux.

GALERIA KAUFHOF

Grand magasin

247 430 ; www.galeria-kaufhof.de en allemand ; Alexanderplatz 9 ; 9h30-20h lun-mer, 9h30-22h jeu-sam ; Alexanderplatz

Le Centrum Warenhaus, jadis grand magasin de la RDA, a résolument pris le look futuriste du XXIe siècle avec son dôme de verre au-dessus de la cour centrale. Ce cube a opté pour un habillage de travertin qui brille en vert la nuit. L'espace gourmet occupant le rez-de-chaussée ne détrône pas celui du KaDeWe (p. 144).

SATURN *Électronique*

247 516 ; www.saturn.de en allemand ; Alexanderplatz 8 ; 10h-20h lun-sam ; Alexanderplatz

Une adresse incontournable pour tous les appareils et accessoires électroniques, avec quantité de promotions sur les CD.

SE RESTAURER

HEAT *International* €€-€€€

238 280 ; www.heat-berlin.de en allemand ; Karl-Liebknecht-Strasse 3 ; 12h-23h ; 100, 200, TXL

Dans le Radisson SAS Hotel, un cadre contemporain apprécié offrant un menu pensé pour tous les goûts et styles de vie imaginables.
La vue sur la Berliner Dom est en compétition avec les chefs qui s'activent à leurs fourneaux ouverts au milieu du restaurant, vous préparant un tikka de poulet, une bouillabaisse, des pizzas ou du foie de veau à la Berlinoise.

LE PROVENCAL *Français* €€€

392 7567 ; www.leprovencal.de en allemand ; Spreeufer 3 ; 12h-23h ; Klosterstrasse

Ce restaurant au bord du fleuve est si français que vous imaginez presque la tour Eiffel, le délicieux parfum provençal de la glace à la lavande maison vous mettra l'eau à la bouche pour un repas classique, haut en saveurs. Le canard de Barbarie rôti et l'agneau au romarin sont à l'honneur.

ZUR LETZEN INSTANZ

Allemand €€

242 5528 ; www.zurletzteninstanz.de ; Waisenstrasse 14-16 ; 12h-1h lun-sam, 12-23h ; Klosterstrasse

Ce chaleureux restaurant fait l'unanimité depuis 1621, de Monsieur Tout-le-monde à Napoléon, Beethoven, Jacques Chirac... Son succès l'a bien sûr rendu touristique, mais les gourmets à la recherche de la "cuisine de grand-mère" se régaleront d'*Eisbein* (porc rôti) et de *Bouletten* (boulettes de viande), servis dans un décor de marché aux puces.

SORTIR

CAFÉ MOSKAU *Club gay*

☎ 2463 1626 ; www.das-moskau.com en allemand ; Karl-Marx-Allee 34 ; entrée 9 € ; à partir de 22h dim ; Schillingstrasse

Très années 1960, ce mythique restaurant communiste accueille aujourd'hui soirées et concerts, ainsi que les fêtes gay **GMF** (www.gmf-berlin.de en allemand) du dimanche, fréquentées par de beaux garçons bronzés qui apprécient la high-energy pop ou la house. Il paraît que les soirées GMF vont changer d'adresse en 2007, vérifiez sur leur site ou dans les guides de spectacles *Zitty* (www.zitty.de) et *Tip* (www.tip-berlin.de).

CASINO BERLIN *Casino*

☎ 2389 4144 ; www.casino-berlin.de en allemand ; Park Inn Hotel, Alexanderplatz 8 ; entrée 5 € ; 11h-3h ; Alexanderplatz

Le baccarat avec vue : l'antre du vice le plus haut de Berlin se trouve au 37e étage, avec tous les jeux de cartes et de hasard habituels. Pour les joueurs sujets au vertige, le casino comporte une partie réservée aux machines à sous au rez-de-chaussée.

KINO INTERNATIONAL *Cinéma et club gay*

☎ 2475 6011 ; www.yorck.de en allemand ; Karl-Marx-Allee 33 ; places 7,50 € ; Schillingstrasse

Avec sa débauche kitsch de lustres en cristal, de rideaux à paillettes et de plafonds à moulures, ce cinéma de l'ère socialiste est un spectacle en soi. Le lundi est "MonGay", avec des films à thèmes homosexuels, classiques, étrangers et en avant-première. Le premier samedi du mois, vous pouvez venir à la plus grande fête gay de la ville au Klub International.

SAGE CLUB *Club*

☎ 2787 6948 ; www.sage-club.de ; Köpenicker Strasse 76 ; entrée 5-10 € ; jeu-dim ; Heinrich-Heine-Strasse

Ce club, qui fit fureur dans les années 1990, attire toujours une foule endiablée sur ses 4 pistes de danse (avec dragon cracheur de feu) en bordure d'une éblouissante piscine. Groupes de rock le jeudi ; funk, soul et hip-hop le vendredi ; électro le samedi et le dimanche. L'animation bat son plein au petit matin.

WEEK-END *Club*

www.week-end-berlin.de ; Am Alexanderplatz 5 ; entrée 6-10 € ; jeu-sam ; Alexanderplatz

Le club le plus branché de Berlin. Au 12e étage d'un ancien immeuble de bureaux de l'ère socialiste, la vue est extraordinaire, le design à couper le souffle, et des DJ comme Dixon, Phonique et Tiefschwarz chauffent la foule à blanc avec de la house et de la techno. Après 2h le dimanche, l'action se déplace au 15e étage.

MITTE – SCHEUNENVIERTEL

S'étendant au nord-ouest d'Alexanderplatz, Scheunenviertel (quartier des Granges) est le plus vieux quartier historique ayant survécu à la guerre, et l'un des plus intéressants de la ville pour sortir le soir ou faire du shopping. Presque abandonné pendant la division de la ville, il compte aujourd'hui de nombreux restaurants, bars, clubs et boutiques à la mode.

Scheunenviertel tient son nom des granges à foin qui, susceptibles de provoquer un incendie, furent bâties au XVIIe siècle en dehors des murs de la ville. Plus tard, il devint le principal quartier juif de Berlin, un rôle historique qu'il a peu à peu retrouvé après la réunification.

Scheunenviertel se découvre en flânant : ici une ravissante cour, là une sculpture insolite, plus loin une boutique excentrique ou un bar douillet. Les touristes ont tendance à graviter autour de l'Hackescher Markt et

SCHEUNENVIERTEL

VOIR

Ancien cimetière juif...... **1** D3
Hackesche Höfe.............. **2** D3
Heckmannhöfe............... **3** C3
Kunst-Werke Berlin........ **4** C3
Centre culturel Tacheles **5** B3
Musée d'Histoire naturelle **6** A2
Nouvelle Synagogue...... **7** C3
Rosenhöfe **8** D3
Sophie-Grips-Höfe et collection Hoffmann...... **9** D3

SHOPPING

1. Absinth Depot Berlin **10** E3
Berliner Klamotten **11** D3
Best Shop **12** E3
Bonbonmacherei.......... **13** C3
Contemporary Fine Arts......................(voir **9**)
Galerie Eigen+Art........ **14** C3
IC! Berlin....................... **15** E3
Michaela Binder........... **16** D3
Milk Berlin..................... **17** E3
Respectmen **18** D3
Sommerladen............... **19** C3
Thatchers....................... **20** D3
Über Store .... (voir **14**)

SE RESTAURER

Barcomi's Deli (voir **9**)
Dada Falafel **21** B3
Kuchi............................. **22** D3
Monsieur Vuong........... **23** E3
Oliva **24** D4
Rutz **25** B2
Schwarzwaldstuben **26** C3
Shiro I Shiro.................. **27** E3
Susuru **28** E3
Vino e Libri **29** D2
Zoe................................ **30** E3

PRENDRE UN VERRE

Bergstübl....................... **31** D1
Cinema Café **32** D3
FC Magnet Mitte **33** D1
Greenwich..................... **34** D3
Reingold........................ **35** B2

SORTIR

Ackerkeller 36 C2
Babylon Mitte 37 F3
b-flat 38 D3
Box + Bar ....(voir 41)
Chamäleon Variété......(voir **2**)
Clärchens Ballhaus....... 39 C3
Delicious Doughnuts.... 40 D3
Deutsches Theater 41 A3
Friedrichstadtpalast 42 B3
Kaffee Burger............... 43 E2
Volksbühne am Rosa-Luxemburg-Platz......... 44 F3
White Trash Fast Food.. 45 E2

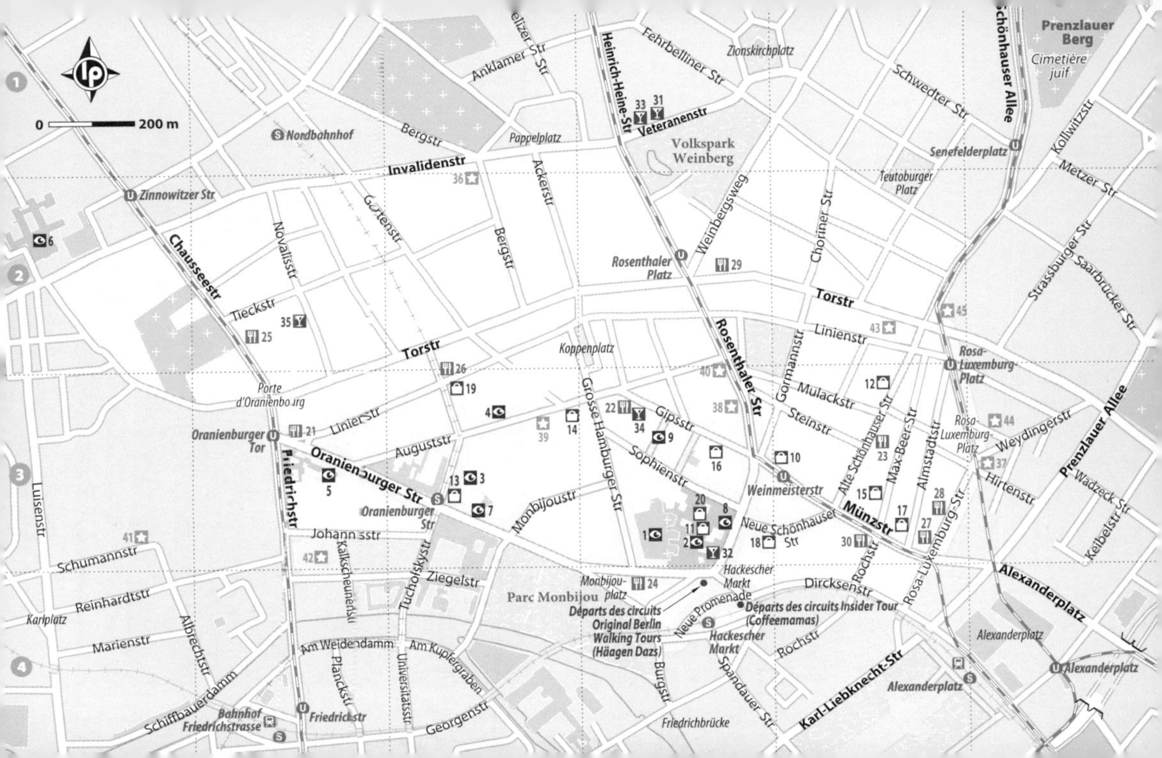

200 m
Prenzlauer Berg
Cimetière juif
Schönhauser Allee
Senefelderplatz
Kollwitzstr
Metzer Str
Strassburger Str
Saarbrücker Str
Schwedter Str
Fehrbelliner Str
Zionskirchplatz
Heinrich-Heine-Str
Veteranenstr
Volkspark Weinberg
Weinbergsweg
Rosenthaler Platz
Teutoburger Platz
Choriner Str
Torstr
Linienstr
Rosa-Luxemburg-Platz
Gormannstr
Mulackstr
Steinstr
Alte Schönhauser Str
Max-Beer-Str
Almstadtstr
Weydingerstr
Hirtenstr
Prenzlauer Allee
Wadzeck Str
Keibelstr
Rosa-Luxemburg-Str
Münzstr
Weinmeisterstr
Rosenthaler Str
Neue Schönhauser Str
Rochstr
Dircksenstr
Alexanderplatz
Karl-Liebknecht-Str
Hackescher Markt
Neue Promenade
Départs des circuits Insider Tour (Coffeemamas)
Départs des circuits Original Berlin Walking Tours (Häagen Dazs)
Spandauer Str
Burgstr
Friedrichbrücke
Monbijouplatz
Parc Monbijou
Sophienstr
Gipsstr
Grosse Hamburger Str
Koppenplatz
Monbijoustr
Auguststr
Oranienburger Str
Oranienburger Tor
Porte d'Oranienbo urg
Friedrichstr
Johannisstr
Kalkscheunenstr
Tucholskystr
Ziegelstr
Am Weidendamm
Am Kupfergraben
Planckstr
Universitatsstr
Georgenstr
Bahnhof Friedrichstrasse
Schiffbauerdamm
Albrechtstr
Marienstr
Reinhardtstr
Karlplatz
Schumannstr
Luisenstr
Chausseestr
Tieckstr
Novalisstr
Gartenstr
Bergstr
Ackerstr
Invalidenstr
Pappelplatz
Anklamer Str
Nordbahnhof
Zinnowitzer Str

d'Oranienburger Strasse, tandis que les habitants préfèrent à ces lieux voyants de petites rues paisibles telles l'Auguststrasse, la Gipsstrasse ou la Tucholsky-strasse. Vous-même, vous ne manquerez pas d'y trouver votre coin favori.

VOIR

ANCIEN CIMETIÈRE JUIF

Alter Jüdischer Friedhof ; Grosse Hamburger Strasse ; Hackescher Markt ;

Ce qui ressemble à un petit parc était en fait le premier cimetière juif de Berlin, détruit par les nazis en 1943. Quelque 12 000 personnes furent enterrées ici, entre 1672 et 1827. Vous remarquerez la tombe du philosophe des Lumières Moses Mendelssohn : elle a été reconstruite.

HACKESCHE HÖFE

www.hackesche-hoefe.com en allemand ; Hackescher Markt ;

Les Hackesche Höfe, qui comptent parmi les principales attractions touristiques de la ville, consistent en un labyrinthe de huit cours magnifiquement restaurées, hébergeant cafés, galeries, boutiques et lieux de divertissement. La plus vivante, la Hof 1, présente des façades ornées de carreaux vernissés Art nouveau. La Hof 7 permet d'accéder à la romantique Rosenhöfe qui possède

L'art urbain en révolte au centre culturel Tacheles

TRÉBUCHER SUR LES PAVÉS DU SOUVENIR

Si vous baissez les yeux, vous les verrez partout, et plus particulièrement dans le Scheunenviertel : des petits pavés en cuivre marquant l'entrée d'une maison et gravés de noms. Appelés *Stolpersteine* (pierre d'achoppement), ils font partie d'un projet national initié par l'artiste berlinois Gunter Demnig. Ce sont en fait de mini-mémoriaux en hommage aux personnes (généralement juives) qui ont vécu dans cette maison avant d'être exécutées par les nazis. La communauté juive de Berlin a enduré les pires souffrances sous le Troisième Reich. En 1933, vivaient 160 000 Juifs à Berlin ; en 1945, 55 000 avaient été exterminés, 100 000 avaient émigré et seulement 5 000 avaient survécu. Aujourd'hui, la communauté compte 13 000 membres, la plupart arrivés récemment des Républiques russes (voir p. 158, pour plus d'informations sur la communauté juive de Berlin).

un jardin de roses en son centre entouré de balustrades de fer forgé aux motifs végétaux et floraux.

HECKMANNHÖFE

Cours Heckmann ; www.heckmann-hoefe.de en allemand ; Oranienburger Strasse 32 ; Oranienburger Strasse ;

Sur le site d'une ancienne usine, cette série de cours renferme aujourd'hui des bancs, une fontaine et des boutiques originales, dont le petit magasin de bonbons artisanaux Bonbonmacherei (p. 68). Ce hâvre de paix relie l'Auguststrasse et l'Oranienburger Strasse. L'entrée est juste à côté du Café Orange.

KUNST-WERKE BERLIN

243 4590 ; www.kw-berlin.de ; Auguststrasse 69 ; tarif plein/réduit 6/4 € ; 12h-19h mar-dim, 12h-21h jeu ; Oranienburger Strasse ;

Cette ancienne fabrique de margarine s'est métamorphosée en centre d'art contemporain. Son fondateur, Klaus Biesenbach, a depuis rejoint le prestigieux MOMA de New York, mais les expositions y sont toujours très remarquées. Dans la cour, au creux d'un écrin de verre et d'acier réalisé par Dan Graham, le café est idéal pour une petite pause branchée.

CENTRE CULTUREL TACHELES

Kunsthaus Tacheles ; 282 6185 ; www.tacheles.de ; Oranienburger Strasse 54-56 ; Oranienburger Tor

À moitié en ruine et couvert de graffitis, le Tacheles semble peu engageant, mais il est en fait l'un des espaces culturels et artistiques alternatifs les plus attachants de la ville. Né durant les mois bouillonnants qui ont suivi la réunification, il constitue un dédale de galeries et d'ateliers d'artistes, avec un cinéma et l'avant-gardiste Café Zapata. En été, le *Biergarten* est ouvert à l'arrière.

MUSÉUM D'HISTOIRE NATURELLE

Museum für Naturkunde ; ☎ 2093 8591 ; www.museum.hu-berlin.de ; Invalidenstrasse 43 ; tarif plein/réduit/famille 3,50/2/7 € ; 9h30-17h mar-ven, 10h-18h sam et dim ; Zinnowitzer Strasse

Le voici revenu sur la scène ! Après un grand nettoyage, os après os, le plus grand dinosaure du monde, le brachiosaure (23 m de long et 12 m de haut) est retourné à sa vitrine de verre dans la grande salle de ce musée affilié à l'université. Dans les autres sections également dépoussiérées, on s'arrête sur le fossile de l'archaeopteryx, les météorites et les énormes morceaux d'ambre.

NOUVELLE SYNAGOGUE

Neue Synagogue ; ☎ 8802 8300 ; www.cjudaicum.de ; Oranienburger Strasse 28-30 ; tarif plein/réduit 3/2 € ; 10h-20h dim et lun, 10h-18h mar-jeu, 10h-17h ven avr-sept, 10h-18h dim-mar, 10h-14h ven oct-mars ; Oranienburger Strasse ;

Le dôme doré de la Nouvelle Synagogue symbolise la renaissance de la communauté juive berlinoise. La synagogue d'origine (1866), avec une capacité de 3 200 places assises, était la plus grande d'Allemagne. En partie reconstruit, l'édifice abrite aujourd'hui un musée consacré à l'histoire et l'architecture du monument, ainsi qu'aux biographies d'anciens fidèles. Le dôme est accessible.

SOPHIE-GIPS-HÖFE ET COLLECTION HOFFMANN

☎ 2849 9120 ; www.sammlung-hoffmann.de ; Sophienstrasse 21 ; 11h-16h sam sur rendez-vous uniquement ; Weinmeisterstrasse

Une simple entrée débouche sur trois cours paisibles, entre Sophienstrasse et Gipsstrasse, renfermant des galeries, des bureaux, ainsi que le Barcomi's (p. 69), un café très apprécié. L'ensemble appartient à Erika et Rolf Hoffmann, un couple amateur d'art moderne, qui vous invite chaque samedi à découvrir les œuvres qu'ils ont réunies, la collection Hoffmann.

SHOPPING

Les boutiques de marques s'alignent le long de la Münzstrasse et de la Neue Schönhauser Strasse, tandis que les boutiques de créateurs indépendants dominent dans l'Alte Schönhauser Strasse. Pour les galeries d'art, rendez-vous dans l'Auguststrasse.

1. ABSINTH DEPOT BERLIN

Alimentation et boissons

☎ 281 6789 ; www.erstesabsinthdepotberlin.de en allemand ; Weinmeisterstrasse 4 ; 14h-minuit lun-sam ; Weinmeisterstrasse

L'absinthe, la fée verte, était à la Belle Époque la muse de Van Gogh, Toulouse-Lautrec et Oscar Wilde.

Cette petite boutique originale offre 60 variétés d'absinthe. Le patron, un expert en la matière, se fera un plaisir de vous aider à trouver la parfaite inspiratrice.

BERLINER KLAMOTTEN *Mode*

www.berlinerklamotten.de ; Court III, Hackesche Höfe ; 11h-20h lun-jeu, 11h-21h ven et sam ; Hackescher Markt
Arbitre de la mode décontractée, le Berliner Klamotten offre une tribune à des douzaines de jeunes créateurs pour montrer leur dernière collection. Le dernier espace en date, occupé par 39 créateurs, est ouvert depuis avril 2007. On ne peut, hélas, pas dire combien de temps il va rester ouvert cette fois-ci.

BEST SHOP *Mode et musique*

2463 2485 ; www.bestshop-berlin.de ; Alte Schönhauser Strasse 6 ; 12h-20h lun-sam ; Weinmeisterstrasse
Créateur de mode et imprésario dans le domaine de la musique, le propriétaire de cette boutique présente les dernières tendances par Pfadfinder, Tatty Devine, Henrik Vibskov. Vous trouverez aussi des accessoires amusants et de la musique électronique par des Berlinois comme Kitty-Yo, !K7 et Bpitch Control.

Rendez-vous avec la "fée verte" au 1. Absinth Depot Berlin

BONBONMACHEREI
Alimentation

4405 5243 ; www.bonbonmacherei.de en allemand ; Oranienburger Strasse 32, Heckmann-Höfe ; 12h-20h mar-sam ; Oranienburger Strasse

La fabrication artisanale de bonbons est revenue au goût du jour dans ce magasin en sous-sol. La cuisine ouverte permet d'observer les confiseurs Katja et Hjalmar en train de fabriquer de savoureuses sucreries à l'aide de leur matériel ancien.

CONTEMPORARY FINE ARTS
Galerie d'art

288 7870 ; www.cfa-berlin.de ; Hof 2, Sophie-Gips-Höfe ; 10h-13h et 14h-18h mar-ven, 11h-17h sam ; Weinmeisterstrasse

Il y a toujours une exposition intéressante dans cette galerie d'art avant-gardiste qui présente les œuvres de jeunes artistes, inconnus ou déjà établis. Parmi ses protégés : Cecily Brown, ainsi que les stars de la peinture contemporaine allemande Jonathan Meese et Daniel Richter.

GALERIE EIGEN+ART
Galerie d'art

280 6605 ; www.eigen-art.com ; Auguststrasse 26 ; 11h-18h mar-sam ; Oranienburger Strasse

Il est toujours intéressant d'aller voir ce qui est exposé sur les murs de cette galerie branchée. Le directeur Gerd Lybke a l'œil pour reconnaître les nouveaux talents allemands qu'il propulse souvent sur la scène internationale. Il a ainsi contribué au succès de Neo Rauch et Martin Eder.

IC! BERLIN *Lunettes*

2472 7200 ; www.ic-berlin.de ; Max-Beer-Strasse 17 ; 11h-20h lun-sam ; Rosa-Luxemburg-Platz

Des sofas éculés, des tableaux farfelus, un phonographe... on croirait une garconnière. Pas du tout, c'est la vitrine d'un lunetier aujourd'hui mondialement renommé. Ses montures extrêmement légères et ses charnières sans vis vont très bien à Tom Cruise, Shakira et autres célébrités. À partir de 300 €.

MICHAELA BINDER *Bijoux*

2838 4869 ; www.michaelabinder.de en allemand ; Gipsstrasse 13 ; 12h-19h mar-ven, 12-16h sam ; Weinmeisterstrasse

Joaillière de talent, Michaela Binder fabrique des bagues, des boucles d'oreilles et des colliers aux formes simples, à partir d'argent et d'or. Le côté original vient de ce que l'on peut associer chaque article à du feutre brillant choisi dans une palette de 12 couleurs selon l'humeur ou la toilette du moment. À partir de 50 €.

MILK BERLIN *Sacs*

2463 0867 ; www.milkberlin.com ; Almstadtstrasse 5 ; 14h-19h lun-ven, 13h-16h sam ; Weinmeisterstrasse

Ces sacs se retrouvent dans toutes les boutiques branchées de la ville, mais seule la maison mère présente la dernière collection. Le modèle classique est une sacoche de forme légèrement trapézoïdale en matière imperméable ornée de motifs colorés, allant des rayures aux tournesols. Nouvelle collection 2007 : une ligne très chic en cuir.

RESPECTMEN *Mode*

283 5010 ; www.respectmen.de ; Neue Schönhauser Strasse 14 ; 12h-20h lun-ven, 12h-18h sam ; Weinmeisterstrasse

Comme l'affirma un jour Mark Twain, "l'habit fait le moine", et RespectMen se propose de souligner l'élégance et l'harmonie qui sommeille en chaque homme. Créations de la maison et autres stylistes comme Cinque, Drykorn et J.Lindeberg.

SOMMERLADEN

Vêtements d'occasion

0177-299 1709 ; Linienstrasse 153 ; 14h-20h lun-ven ; Oranienburger Strasse

Vous craquez pour Versace ? Votre cœur bat plus fort à la mention de Marc Jacobs ? Vous ne pouvez pas vivre sans Prada, Cacharel ou Margiela ? Johanna Mattner, spécialiste de ces marques, et de bien d'autres, propose des vêtements d'occasion à des prix imbattables.

ÜBER STORE

Cadeaux et accessoires

6677 9095 ; www.ueber-store.de en allemand ; Auguststrasse 26 ; 12h-19h mar-ven, 12h-18h sam ; Oranienburger Strasse

La boutique grande comme un mouchoir de poche d'Anja Kantowsky est toujours une surprise car elle change son assortiment de babioles originales presque tous les trois mois, chaque fois avec un nouveau thème, comme séduction, maison ou désir de voyage.

SE RESTAURER

BARCOMI'S DELI *Café* €

2859 8363 ; www.barcomis.de en allemand ; Hof 2, Sophie- Gips-Höfe ; Sophienstrasse 21 ; 8h- 21h lun-sam, 9h-21h dim ; Weinmeisterstrasse ; V

Une bonne odeur de café parfume l'air de cet établissement populaire, apprécié des familles, des expatriés américains et du genre artiste. Idéal pour une pause et un petit en-cas : sandwiches variés et délicieux gâteaux. Non-fumeurs.

DADA FALAFEL

Moyen-oriental €

2759 6927 ; Linienstrasse 132 ; 10h-2h ; Oranienburger Tor

Entrez dans cette toute petite échoppe de vente à emporter, vous ne le regrettez pas, ses falafels et shawarmas sont succulents.

Tous les ingrédients sont frais, les sauces maison et le décor, original et recherché, vaut le détour à lui seul.

KUCHI *Asiatique* €€-€€€

2838 6622; www.kuchi.de ; Gipsstrasse 3 ; 12h-minuit ; Weinmeisterstrasse

Les puristes feront la fine bouche devant les créations "extrêmes" de Kuchi, que les iconoclastes goberont comme des M&Ms. Ce sont surtout les makis qui surprennent, agrémentés d'anguille grillée, de tempura ou de peau de poulet craquante ; les *yakitori* (brochettes de viande grillée), légumes sautés, *donburi* (bol de riz) et soupes de nouilles vous ramènent en terrain plus classique.

MONSIEUR VUONG

Asiatique €-€€

3087 2643 ; www.monsieurvuong.de ; Alte Schönhauser Strasse 46 ; 12h-minuit ; Weinmeisterstrasse

Ce restaurant vietnamien à la mode est toujours plein de connaisseurs qui viennent pour les délectables soupes et plats de nouilles. L'établissement ne prend pas de réservations : venez dans l'après-midi pour éviter la foule. Cocktails aux fruits et thés exotiques également délicieux.

OLIVA *Italien* €

Oranienburger Strasse 84 ; 12h-minuit ; Hackescher Markt

Non loin des sites à visiter, pas trop touristique malgré tout, un restaurant

Authentiques saveurs asiatiques chez Monsieur Vuong

à l'ambiance décontractée pour de délicieuses et créatives pizzas à fine croûte, servies allègrement.

RUTZ *International* €€€

☎ 2462 8760 ; www.rutz-weinbar.de en allemand ; Chausseestrasse 8 ; 17h-minuit lun-sam ; Oranienburger Tor

Le juste équilibre entre aventure et classique dans les créations de Marco Müller lui vaudra sans doute, dit-on en coulisses, la distinction d'une étoile au guide Michelin. La cave est remplie de 1 001 bouteilles des plus fameux crus, dont beaucoup peuvent être dégustés au verre durant le dîner ou dans le bar à vins au sous-sol.

SCHWARZWALDSTUBEN *Allemand* €€

☎ 2809 8084 ; Tucholskystrasse 48 ; 9h-minuit ; Oranienburger Strasse

Le décor désuet de cet établissement douillet n'en attire pas moins une foule de jeunes branchés qui viennent se régaler de son authentique cuisine du sud de l'Allemagne accompagnée de la délicieuse bière Rothaus Tannenzäpfle. Laissez-vous tenter par les *Kasespätzle* (macaronis au fromage), les *Maultaschen* (raviolis) ou la *Flammekuche*.

SHIRO I SHIRO *Fusion* €€€-€€€€

☎ 9700 4790 ; www.shiroishiro.com ; Rosa-Luxemburg-Strasse 11 ; à partir de 18h ; Rosa-Luxemburg-Platz

Le "Château blanc" au décor chic de conte de fées contemporain est le palais des gourmets les plus exigeants et les plus audacieux de Berlin. Réservez une alcôve ou prenez place avec une trentaine de vos "meilleurs amis" à une longue table de banquet. La cuisine créative allie saveurs asiatiques et européennes. Surtout, ne manquez pas le dessert !

SUSURU *Asiatique* €-€€

☎ 211 1182 ; www.susuru.de en allemand ; Rosa-Luxemburg-Strasse 17 ; 11h30-23h30 ; Rosa- Luxemburg-Platz ; V

Un bar à nouilles branché qui vous recommande de faire du bruit en avalant vos nouilles ! C'est ce que veut dire *susuru* en japonais, et c'est bien la meilleure façon de déguster les grands bols d'*udon* fumants ou les *nabe*, des plats délicieux et bons pour la santé. Il est surprenant qu'il n'y ait pas plus de monde autour des tables au superbe design. Non-fumeurs.

VINO E LIBRI *Italien* €€-€€€

☎ 4405 8471 ; fax 4405 8471 ; Torstrasse 99 ; 17h-minuit ; Rosenthaler Platz

Deux des grands trésors de la civilisation – le vin et les livres – forment le nom, le décor et l'âme de ce *ristorante* sans prétention, tenu avec charme et panache par une famille d'origine sarde. La pizza à fine croûte et les pâtes maison sont excellentes, mais le chef Bruno donne sa vraie mesure dans des alliages expérimentaux de saveurs.

ZOE *Fusion* €€-€€€

☎ 2404 5635 ; www.zoe-berlin.de ; Rochstrasse 1 ; 12h-minuit lun-ven, 18h-minuit sam et dim ; Weinmeisterstrasse

Tout de blanc décoré, fréquenté par une clientèle chic, Zoe paraît presque éthéré. Heureusement, la cuisine ne l'est pas. Les deux chefs, l'un en charge de la cuisine méditerranéenne, l'autre de l'asiatique, sont vraiment doués. Si vous appréciez, venez aux cours de cuisine. À midi, menu du jour (à partir de 6 €). Wi-Fi gratuit.

PRENDRE UN VERRE

Les bars à touristes sont nombreux le long de l'Oranienburger Strasse, mais avant d'entrer vous devrez esquiver les prostituées, ressemblant à des poupées venues d'un univers galactique. Les meilleures adresses sont dans les rues transversales.

BERGSTÜBL *Pub*

☎ 4849 2268 ; Veteranenstrasse 25 ; 16h-17h dim-jeu, 24h/24 ven et sam ; Rosenthaler Platz

Son nom évoque un cadre alpin chaleureux, or la seule chose d'Allemagne du Sud dans ce salon de pacotille est la savoureuse bière Tannenzäpfle de la Forêt-Noire. Une foule de bobos occupe les sofas en hiver et le pavé en été. Un bon endroit où aller le week-end quand la fête est terminée partout ailleurs.

CINEMA CAFÉ *Pub*

☎ 280 6415 ; Rosenthaler Strasse 39 ; à partir de 12h ; Hackescher Markt

Ce pub sans prétention dédié au cinéma est le dernier rendez-vous alternatif du quartier clinquant de l'Hackescher Markt. L'épaisse fumée autour des bougies et les conversations intellectuelles rappellent les cafés existentialistes du Paris des années 1950. Une terrasse permet de prendre l'air.

FC MAGNET MITTE *Bar*

☎ 0177-291 6707 ; www.fcmagnetbar.de en allemand ; Veteranenstrasse 26 ; à partir de 18h en été, 20h en hiver ; Rosenthaler Platz

Ce bar chic du même nom que le club de football est un endroit civilisé où revivre l'euphorie de la Coupe du monde de 2006. Une foule décontractée sirote des cocktails, joue au Baby-foot ou pousse des hourras pour son équipe préférée qui évolue sur le grand écran.

GREENWICH *Bar*

☎ 2809 5566 ; Gipsstrasse 5 ; à partir de 20h ; Weinmeisterstrasse

Ce bar pompeux est tellement dans le vent qu'il se passe d'enseigne.

Heinz Gindullis, l'homme qui transforme tout ce qu'il touche en or et qui a déjà à son actif le succès de Cookies (p. 54), s'est lancé sur le circuit des cocktails. Vous aurez tout le temps d'étudier le bar et les sofas vert mamba, les aquariums illuminés et la clientèle très en vue, avant que n'arrive votre cocktail détonant d'originalité.

REINGOLD *Bar*

☎ 2838 7676 ; www.reingold.de ; Novalisstrasse 11 ; à partir de 19h ; Oranienburger Tor

Ce bar glamour dans le style années 1930 attire une clientèle sophistiquée et loquace qui apprécie son éclairage tamisé et la musique tout en retenue. Les projections vidéo, les expositions de photographies, un immense portrait de Klaus et d'Erika Mann, ainsi qu'une mosaïque de pages du roman de Klaus *Mephisto* vous nourriront spirituellement, tandis que les tapas combleront une petite faim.

SORTIR

ACKERKELLER *Pub gay et club*

www.ackerkeller.de ; Bergstrasse 68 ; pub à partir de 19h lun-ven, soirées 22h mar, ven et sam ; Rosenthaler Platz

Ce pub alternatif gay et lesbien organise des soirées plusieurs fois par semaine. La musique rock, pop et électronique enflamme la piste de danse. La clientèle est mixte, sauf lors de la Schlagernacktparty ("Soirée pop nue", le deuxième samedi du mois) réservée aux garçons et de la Busenfreundin ("Amie de cœur", troisième samedi) pour les filles. C'est bien plus innocent que ce que vous pouvez penser…

Revivre au temps du cinéma muet des années 1920 au Babylon Mitte (p. 74)

BABYLON MITTE *Cinéma*

242 5969 ; www.babylonberlin.de ; Rosa-Luxemburg-Strasse 30 ; places 4,50-6,50 € ; Rosa-Luxemburg-Platz

Cet ancien cinéma datant du muet, superbement restauré, est spécialisé dans de remarquables rétrospectives, des œuvres de la RDA, des grands classiques et des films d'art et d'essai. Durant les projections de films muets, l'orgue originel du théâtre est mis à contribution. Il accueille parfois concerts et événements littéraires.

B-FLAT *Club de jazz*

283 3123 ; www.b-flat-berlin.de en allemand ; Rosenthaler Strasse 13; entrée, 4-12 € ; à partir de 20h ; Weinmeisterstrasse

On s'amuse follement au White Trash Fast Food

Le programme de modern jazz et de musiques du monde attire dans cet endroit joyeux un public décontracté de tout âge. La jam session assure l'ambiance le mercredi, tandis que le dimanche les danseurs de tango envahissent la piste.

CHAMÄLEON VARIETÉ *Cabaret*

282 7118 ; www.chamaeleonberlin.de en allemand ; Hackesche Höfe, Rosenthaler Strasse 40/41 ; billets 25-32 € ; Hackescher Markt

Vous assisterez à des spectacles de variétés – comédie, numéro de jongleurs, chansons – d'un style original et impertinent.

CLÄRCHENS BALLHAUS *Club-restaurant*

282 9295 ; www.ballhaus-mitte.de en allemand ; Auguststrasse 24 ; gratuit ou 3 € ; à partir de 12h ; Oranienburger Strasse

Dans cette grande salle de bal de la fin du XIXe siècle, on danse le tango ou la valse, mais aussi sur des airs de disco ou de pop. À l'étage, se déroulent des concerts et des leçons de danse. On peut y manger (pizzas ou spécialités allemandes), en été sur la terrasse .

DELICIOUS DOUGHNUTS *Club*

2809 9279 ; www.delicious.doughnuts.de ; Rosenthaler Strasse 9 ; entrée 3-5 € ; à partir de 21h ; Weinmeisterstrasse

Pour un bon aperçu de la vie nocturne de Mitte, rendez-vous dans ce club très chaleureux, avec son accueillant cadre lounge et sa petite piste de danse très animée. Les afters y durent jusqu'en fin de matinée.

DEUTSCHES THEATER *Théâtre*

2844 1225 ; www.deutschestheater.de ; Schumannstrasse 13a ; places 10-42 € ; Friedrichstrasse
Ce théâtre historique, qui fut l'un des plus prestigieux d'Allemagne, a perdu de sa grandeur. Au programme : classiques et œuvres expérimentales sur trois scènes. Les productions les plus novatrices se déroulent dans le Box + Bar, une boîte noire compacte de 80 places dotée d'un bar à cocktails.

FRIEDRICHSTADTPALAST *Théâtre*

2326 2326 ; www.friedrichstadtpalast.de ; Friedrichstrasse 107 ; places 17-70 € ; Friedrichstrasse
Avec 2 000 places, le plus grand théâtre de revues en Europe met en scène des spectacles très Las Vegas. Des danseuses aux jambes superbes et un excellent orchestre.

KAFFEE BURGER *Club*

2804 6495 ; www.kaffeeburger.de en allemand ; Torstrasse 60 ; entrée 3-5 € ; à partir de 19h dim-jeu, à partir de 21h ven et sam ; Rosa-Luxemburg-Platz
Meilleur club de la scène alternative à Berlin, le Kaffee Burger date de l'époque de la RDA. Il accueille deux fois par mois les légendaires soirées Russendisko (disco russe ; www.russendisko.de) de Wladimir Kaminer. Le reste du temps, des lectures ou des concerts précèdent souvent les soirées indé, rock et punk.

VOLKSBÜHNE AM ROSA-LUXEMBURG-PLATZ *Théâtre*

2406 5777 ; www.volksbuehne-berlin.de en allemand ; Rosa-Luxemburg-Platz ; places 10-30 € ; Rosa-Luxemburg-Platz
Non-conformiste, radicale et provocante, telle est la Volksbühne (la Scène du peuple) voulue par ses directeurs très controversés Frank Castorf et Christoph Schlingensief. Ce type de théâtre, ancré dans la modernité, semble étrangement à la fois populiste et élitiste.

WHITE TRASH FAST FOOD *Club-restaurant*

5034 8668 ; www.whitetrashfastfood.com ; Schönhauser Allee 6/7; entrée 1-12 € ; à partir de 18h ; Rosa-Luxemburg-Platz
Branché, à la limite du délire, ce pub jadis irlandais, au décor chinois, est le lieu favori des danseurs de rock and roll et souvent des expatriés qui engloutissent de savoureux hamburgers pour conjurer leur vague à l'âme. Dans le Diamond Lounge au sous-sol, les concerts de musique alternative – garage rock, country trash et gypsy punk – sont les plus bruyants et les plus trash de la ville.

LE REICHSTAG ET LE QUARTIER DU GOUVERNEMENT

Le nouveau quartier du Gouvernement (Regierungsviertel) occupe le Spreebogen, un méandre de la Spree en forme de fer à cheval. Surnommé *Band des Bundes* ("ruban de la Fédération"), il comprend plusieurs édifices alignés dans le sens est-ouest, joignant symboliquement les deux moitiés de la ville par-dessus la Spree. Au centre s'élève le Reichstag, et au nord du fleuve, se trouve le bâtiment flambant neuf de la Hauptbahnhof.

Pas une seule structure n'a dû être abattue pour faire place au nouveau quartier du pouvoir car le travail avait été réalisé par les nazis qui avaient démoli tout un riche quartier résidentiel, dans l'intention de construire un énorme Grand Palais qui devait contenir 180 000 personnes ; heureusement le projet ne fut jamais mené à bien.

Aujourd'hui, les édifices du gouvernement, beaucoup plus modestes, s'intègrent dans la tapisserie urbaine. Les enfants font voler leurs cerfs-volants et jouent au football sur les vastes pelouses, tandis que les flâneurs et les amateurs de jogging se sont accaparés la nouvelle promenade sur berge. Enfin, la queue pour l'ascenseur au sommet de la coupole du Reichstag s'est inscrite au même titre que l'édifice dans le paysage.

LE REICHSTAG ET LE QUARTIER DU GOUVERNEMENT

VOIR

Musée berlinois de l'Histoire de la médecine **1** C2
Chancellerie **2** B5
Gare de Hambourg – musée d'Art contemporain **3** C2
Maison des Cultures du monde **4** A5
Reichstag **5** C5

SE RESTAURER

Sarah Wiener im Hamburger Bahnhof (voir **3**)

PRENDRE UN VERRE

Bundespressestrand **6** D4

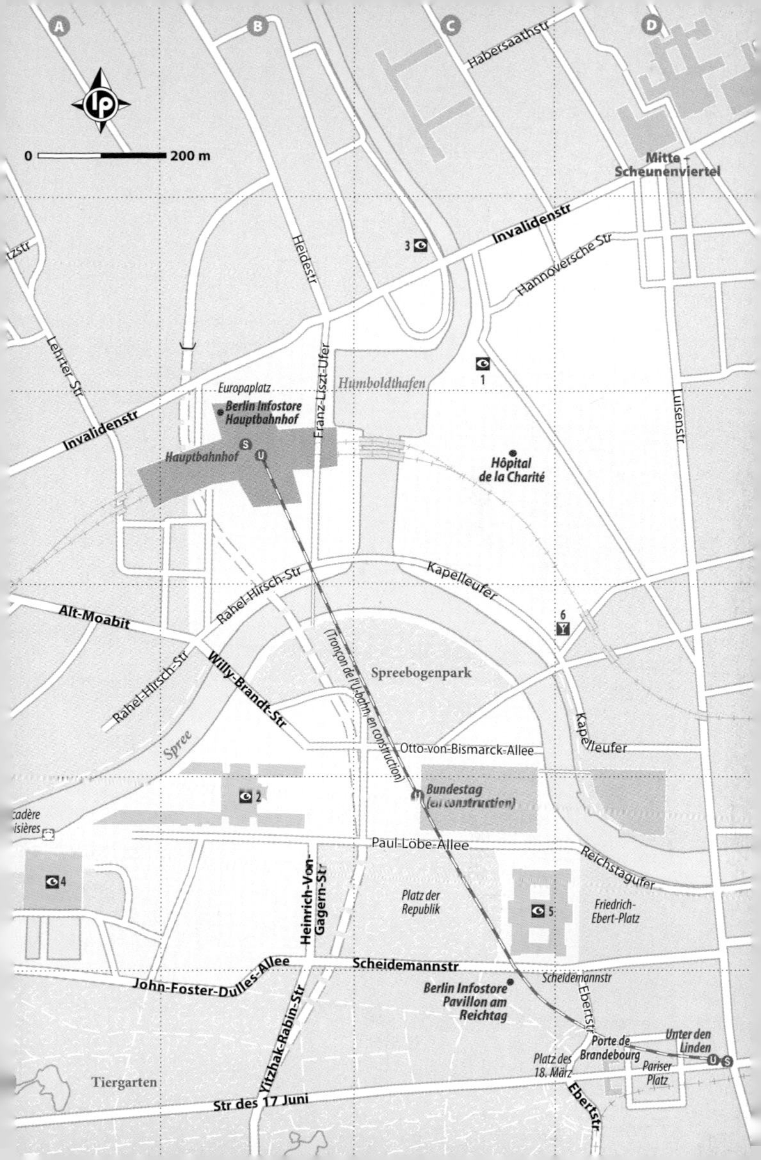

A
B
C
D
0
200 m
Habersaathstr
Mitte - Scheunenviertel
Invalidenstr
Heidestr
Hannoversche Str
Lehrter Str
Franz-Liszt-Ufer
Humboldthafen
Europaplatz
Berlin Infostore Hauptbahnhof
Hauptbahnhof
Hôpital de la Charité
Luisenstr
Kapelleufer
Rahel-Hirsch-Str
Alt-Moabit
Willy-Brandt-Str
(Tronçon de l'U-bahn en construction)
Spreebogenpark
Spree
Otto-von-Bismarck-Allee
Bundestag (en construction)
Paul-Löbe-Allee
Reichstagufer
Platz der Republik
Friedrich-Ebert-Platz
Heinrich-Von-Gagern-Str
Scheidemannstr
John-Foster-Dulles-Allee
Berlin Infostore Pavillon am Reichtag
Ebertstr
Porte de Brandebourg
Unter den Linden
Pariser Platz
Platz des 18. März
Yitzhak-Rabin-Str
Tiergarten
Str des 17 Juni
1
2
3
4
5
6

VOIR

MUSÉE BERLINOIS DE L'HISTOIRE DE LA MÉDECINE

Berliner Medizinhistorisches Museum ; ☎ 450 536 122 ; www.bmm.charite.de ; Charité Hospital Mitte, Charitéplatz 1 ; tarif plein/réduit/famille 4/2/8 € ; 10h-18h dim, mar, jeu et ven, 10h-19h mer, 10h-20h sam ; Hauptbahnhof ;

L'architecture moderne et épurée de la chancellerie

Entrer dans ce macabre musée des pathologies et des difformités est comme se plonger dans un livre de médecine en 3D. Des bocaux remplis de formol exhibent de monstrueuses tumeurs, des siamois ou encore un côlon de la taille d'une trompe d'éléphant. Cœurs sensibles s'abstenir et n'y allez pas avec des enfants de moins 12 ans.

CHANCELLERIE

Bundeskanzleramt ; Willy-Brandt-Strasse 1 ; fermé au public ; Hauptbahnhof, 100

La chancellerie fédérale est un ensemble moderne et étincelant conçu par Axel Schultes. Le cube blanc central flanqué de deux longs immeubles de bureaux dessine la forme d'un H. La chancelière Angela Merkel y a son bureau. La sculpture *Berlin*, en acier, par Eduardo Chillida, met la cour en valeur.

GARE DE HAMBOURG – MUSÉE D'ART CONTEMPORAIN

Hamburger Bahnhof – Museum für Gegenwart ; ☎ 3978 3439 ; www.hamburgerbahnhof.de ; Invalidenstrasse 50-51 ; tarif plein/réduit 8/4 €, gratuit moins de 16 ans et pour tous 18h-22h jeu ; 10h-18h mar-ven, 11h-20h sam, 11h-18h dim ; Hauptbahnhof ;

Occupant une ancienne gare du XIXe siècle et un entrepôt adjacent de 300 m de long, le principal musée d'Art contemporain de Berlin abrite une collection des plus grands artistes, dont Andy

Warhol, Roy Lichtenstein et Anselm Kiefer, et consacre une aile entière à Joseph Beuys. Il accueille aussi des expositions temporaires et possède une libraire d'art bien fournie et un café apprécié appelé Sarah Wiener im Hamburger Bahnhof (voir à droite).

MAISON DES CULTURES DU MONDE

Haus der Kulturen der Welt ; 397 870 ; www.hkw.de ; John-Foster-Dulles-Allee 10 ; 10h-21h mar-dim ; 100 ;

Ce centre culturel propose un dialogue avec les artistes d'Amérique latine, d'Asie et d'Afrique, au travers d'expositions, de conférences, de films, et de spectacles de danse ou de théâtre. L'extravagant édifice, surnommé l'"huître pleine", fut la contribution américaine à l'exposition internationale d'architecture de 1957. À proximité, le carillon à 68 cloches se fait entendre chaque jour à midi et à 18h. Le prix de l'entrée varie.

REICHSTAG

2273 2152 ; www.bundestag.de ; Platz der Republik 1 ; entrée gratuite ; 8h-minuit, dernier ascenseur 22h ; 100 ;

Achevé en 1894, le Reichstag constitue le siège du Bundestag (le Parlement allemand). Il vaut la peine de faire la queue pour l'ascenseur qui mène au sommet de la coupole autant pour la vue panoramique à 360° sur la ville que pour le spectacle qu'offrent de près le dôme et l'"entonnoir" recouvert de miroirs en son centre. La file est moins longue tôt le matin et tard le soir. Voir aussi p. 17.

SE RESTAURER

SARAH WIENER IM HAMBURGER BAHNHOF

Autrichien €€-€€€

7071 3650 ; www.sarahwieners.de en allemand ; Invalidenstrasse 50/51 ; 10h-18h mar-ven, 11h-20h sam, 11h-18h dim ; Hauptbahnhof

Ce café de musée, le plus chic de tous, est le domaine de la grande chef Sarah Wiener, célèbre pour sa cuisine classique : *Schnitzel* de veau, délicieuse *Sachertorte* et autres gâteaux autrichiens. Un long bar, un dallage à motifs, une lumière tamisée et une clientèle intellectuelle ajoutent au caractère de cette immense salle à haut plafond.

PRENDRE UN VERRE

BUNDESPRESSESTRAND

Bar de plage

2809 9119 ; www.derbundespressestrand.de ; Kapelleufer 1 ; à partir de 10h mai-sept ; Hauptbahnhof

Bien que cher et très touristique, ce bar, qui a installé ses fauteuils et une aire de jeux pour enfants sur le sable, est un endroit agréable pour reposer ses pieds endoloris et profiter de la vue. Il fait restaurant et organise des événements : soirées salsa, barbecues.

LA POTSDAMER PLATZ ET TIERGARTEN

La Potsdamer Platz est le quartier le plus récent de Berlin, construit sur un terrain jadis divisé en deux par le Mur. À la fin des années 1990, quand la ville fit appel aux architectes contemporains internationaux les plus talentueux, tels Renzo Piano, Richard Rogers et Helmut Jahn, ce quartier devint la vitrine du renouveau urbain. Aujourd'hui la Potsdamer Platz est une réinterprétation moderne de l'histoire de ce quartier, autrefois l'équivalent de Times Square à New York jusqu'à ce que la Seconde Guerre mondiale le vide de toute vie.

Le quartier est constitué de trois sections, chacune animée par un mélange de cinémas, restaurants, bars, magasins et espaces publics. DaimlerCity se reconnaît à sa vaste galerie commerçante ; le Sony Center à son atrium central couvert ; et le Beisheim Center, plus paisible, est un hommage à l'architecture classique des gratte-ciel américains.

La visite de la Potsdamer Platz peut se combiner avec celle du Kulturforum, un ensemble de musées et de salles de concerts (dont la célèbre Philharmonie), juste à l'ouest de la place. Et si toutes ces stimulations culturelles vous laissent un peu étourdi, à quelques pas de là, le "grand poumon vert" de Berlin, le parc de Tiergarten (p. 20) vous apportera le calme.

LA POTSDAMER PLATZ ET TIERGARTEN

VOIR

Ambassade d'Autriche **1** D2
Archives du Bauhaus........... **2** B3
Ambassade d'Égypte **3** D3
Mémorial de la Résistance allemande **4** D3
Pinacothèque...................... **5** D3
Musée des Arts décoratifs........................... **6** D3
Cabinet des Estampes......... **7** D3
Legoland Discovery Centre **8** E3
Musée du Cinéma et musée de la Télévision........ **9** E3
Musée des Instruments de musique....................... **10** E2
Nouvelle Galerie nationale **11** D3
Ambassades des pays scandinaves........ **12** B3
Collection DaimlerChrysler **13** F3
Colonne de la Victoire....... **14** B1

SHOPPING

Potsdamer Platz Arkaden............................ **15** F3

SE RESTAURER

Facil **16** E3
MAOA................................. **17** F3
Vapiano **18** F2
Weilands Wellfood............ **19** E3

PRENDRE UN VERRE

Café am Neuen See **20** A2
Qiu .... (voir **16**)

SORTIR

Arsenal (voir **9**)
Philharmonie 21 E2
Blue Man Group 22 E3
Cinestar Original 23 E2

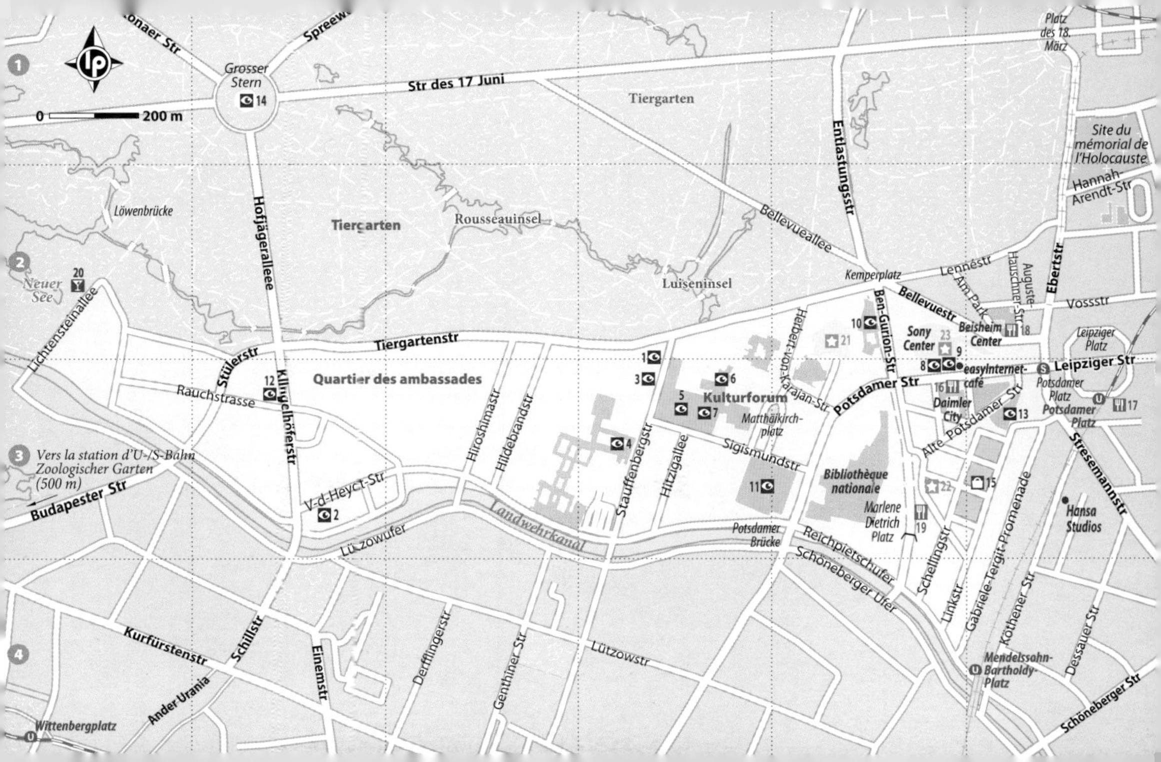
Grosser Stern
Str des 17 Juni
Tiergarten
0 200 m
Hofjägeralleee
Tiergarten
Rousseauinsel
Löwenbrücke
Luiseninsel
Bellevueallee
Entlastungsstr
Kemperplatz
Lennéstr
Am Park
Auguste-Hauschner-Str
Ebertstr
Vossstr
Platz des 18. März
Site du mémorial de l'Holocauste
Hannah-Arendt-Str
Neuer See
Lichtensteinallee
Tiergartenstr
Stülerstr
Klingelhöferstr
Rauchstrasse
Quartier des ambassades
Hiroshimastr
Hildebrandstr
Stauffenbergstr
Hitzigallee
Kulturforum
Matthäikirchplatz
Sigismundstr
Herbert-von-Karajan-Str
Ben-Gurion-Str
Bellevuestr
Sony Center
Beisheim Center
easyInternet-café
Leipziger Str
Leipziger Platz
Potsdamer Str
Potsdamer Platz
Daimler City
Alte Potsdamer Str
Stresemannstr
Bibliothèque nationale
Marlene Dietrich Platz
Hansa Studios
Vers la station d'U-/S-Bahn Zoologischer Garten (500 m)
Budapester Str
V-d-Heydt-Str
Landwehrkanal
Lützowufer
Potsdamer Brücke
Reichpietschufer
Schöneberger Ufer
Schellingstr
Linkstr
Gabriele-Tergit-Promenade
Köthener Str
Dessauer Str
Mendelssohn-Bartholdy-Platz
Schöneberger Str
Kurfürstenstr
Schillstr
Einemstr
Derfflingerstr
Genthiner Str
Lützowstr
Ander Urania
Wittenbergplatz

VOIR

ARCHIVES DU BAUHAUS

Bauhaus Archiv/Museum für Gestaltung ; 254 0020 ; www.bauhaus.de ; Klingelhöferstrasse 14 ; tarif plein/réduit 7/14 € dim-lun, 6/3 € mer-ven, audioguide ; 10h-17h mer-lun ; 100 ;

C'est Walter Gropius en personne, fondateur du Bauhaus (1919-1933), qui a conçu cet édifice d'avant-garde hébergeant aujourd'hui les archives du mouvement : des notes d'études, des éléments provenant d'ateliers, des maquettes et des documents divers appartenant à des membres du Bauhaus tels que Klee, Kandinsky, Schlemmer et d'autres, qui démontrent l'énorme influence de ce mouvement sur l'architecture et le design au XXe siècle.

Une mousse au soleil dans le Tiergarten (p. 20)

QUARTIER DES AMBASSADES

Le quartier des ambassades (C3), au sud du Tiergarten, regroupe plusieurs nouveaux bâtiments diplomatiques intéressants.
Se distinguent les **ambassades des pays scandinaves** (Rauchstrasse 1) à la façade turquoise étincelante, l'**ambassade d'Égypte** (Stauffenbergstrasse 6-7) tel un temple ancien, et l'**ambassade d'Autriche** (Stauffenbergstrasse 1), un bâtiment recouvert de cuivre et de terre cuite.

MÉMORIAL DE LA RÉSISTANCE ALLEMANDE

Gedenkstätte Deutscher Widerstand ; 2699 5000 ; www.gdw-berlin.de ; Stauffenbergstrasse 13-14 ; entrée gratuite ; 9h-18h lun-mer et ven, 9h-20h jeu, 10h-18h sam et dim ; 200 ;

Cette exposition traitant de la résistance nationale contre le régime nazi occupe les salles où un groupe d'officiers de haut rang menés par Claus Schenk Graf von Stauffenberg monta un complot pour tenter d'assassiner Hitler le 20 juin 1944. Les principaux conspirateurs furent exécutés la nuit même dans la cour du bâtiment, où un monument leur est dédié.

BON PLAN

Un billet pour l'un des musées du Kulturforum permet de visiter le même jour la collection permanente des quatre autres musées. Les musées concernés sont la Nouvelle Galerie nationale (p. 84), la Pinacothèque (ci-dessous), le musée des Arts décoratifs (ci-dessous), le cabinet des Estampes (à droite) et le musée des Instruments de musique (p. 84). L'entrée est gratuite pour les moins de 16 ans et pendant les 4 dernières heures le jeudi.

PINACOTHÈQUE

Gemäldegalerie ; ☎ 266 2951 ; www.smb.spk-berlin.de/gg ; Matthäikirchplatz 8 ; tarif plein/réduit 8-4 €, avec audioguide ; 10h-18h mar-dim, 10h 22h mar ; 200, M29 ;

Cette galerie est une spectaculaire vitrine de la peinture européenne du XIIIe au XVIIIe siècle, dans un immense et superbe bâtiment. Utilisez l'excellent audioguide (disponible en français) qui vous éclairera sur les chefs d'œuvre de Rembrandt, Dürer, Hals, Vermeer et Gainsborough. La visite des 72 salles couvre près de 2 km. Voir aussi p. 19.

MUSÉE DES ARTS DÉCORATIFS

Kunstgewerbemuseum ; ☎ 266 2951 ; www.smb.spk-berlin.de ; Tiergartenstrasse 6 ; tarif plein/réduit 8/4 € ; 10h-18h mar-ven, 11h-18h sam et dim ; 200, M29 ;

Ce musée plein de coin et recoins déborde de "sept siècles" de beaux objets décoratifs de toute l'Europe. Admirez les reliquaires incrustés de pierres précieuses du Moyen Âge, les tapisseries Renaissance et, surtout le sous-sol, la collection consacrée au XXe siècle. La salle chinoise du palais Graneri de Turin attire aussi le regard.

CABINET DES ESTAMPES

Kupferstichkabinett ; ☎ 266 2951 ; www.kupferstichkabinett.de ; Matthäikirchplatz 8 ; tarif plein/réduit 8/4 € ; 10h-18h mar ven, 11h-18h sam et dim ; 200, M29 ;

Il conserve une extraordinaire collection de dessins, aquarelles, pastels et huiles des grands maîtres, dont Dürer, Rembrandt et Picasso, depuis le XIVe siècle. Ces œuvres étant photosensibles, les expositions sont en constante rotation.

LEGOLAND DISCOVERY CENTRE

☎ 301 0400 ; www.legolanddiscoverycentre.com en allemand ; Sony Center, Potsdamer Strasse ; adulte/enfant 14,50/11 € ; 10h-17h (dernière entrée) ; Potsdamer Platz ;

Une girafe grandeur nature, un château du dragon et la ville de Berlin en miniature attendent les enfants dans ce parc d'attractions couvert, où tout est réalisé en brique Lego. En plus : cinéma en 4D, fabrique de Lego et jeux interactifs.

LES QUARTIERS

LA POTSDAMER PLATZ ET TIERGARTEN

MUSÉE DU CINÉMA ET MUSÉE DE LA TÉLÉVISION

Museum für Film un Fernsehen ; ☎ 300 9030 ; www.filmmuseum-berlin.de ; Potsdamer Strasse 2 ; tarif plein/réduit/famille 6/4,50/12 € ; 10h-18h mar-dim, 10h-20h jeu ; Potsdamer Platz ;
Un voyage multimédia à travers l'histoire cinématographique de l'Allemagne, du film muet aux effets spéciaux. Vous pourrez voir notamment la salle aux miroirs du *Cabinet du docteur Caligari*, puis l'exposition sur *Olympia* (*Les Dieux du stade*) de Leni Riefenstahl, ainsi que la collection des souvenirs de Marlene Dietrich. À l'étage supérieur, dans la salle de projection, sont retransmis certains programmes télévisés célèbres, tel le discours deJohn Kennedy *"Ich bin ein Berliner"*.

MUSÉE DES INSTRUMENTS DE MUSIQUE

Musikinstrumenten-Museum ; ☎ 2548 1178 ; www.mim-berlin.de en allemand ; Tiergartenstrasse 1 ; tarif plein/réduit 4/2 €, billet valable le même jour pour les musées du Kulturforum 8/4 € ; 9h-17h mar, mer et ven, 9h-22h jeu, 10h-17h sam et dim ; Potsdamer Platz ;
Ce musée rempli de précieux et rares instruments, souvent amusants, n'attire pas vraiment la foule. Pourtant il garde l'harmonica de verre inventé par Benjamin Franklin, la flûte dont jouait Frédéric le Grand, ainsi que le clavecin de Johann Sebastian Bach. Le Mighty Wurlitzer, un orgue de théâtre doté d'un nombre impressionnant de touches et de pédales, est actionné le samedi à midi.

NOUVELLE GALERIE NATIONALE

Neue Nationalgalerie ; ☎ 266 2951 ; www.neue-nationalgalerie.de ; Potsdamer Strasse 50 ; tarif plein/réduit 8/4 € ; 10h-18h mar-dim, 10h-22h jeu ; 200, M29 ;
Ce temple de verre spectaculaire, réalisé par Ludwig Mies van der Rohe, abrite des peintures et des sculptures d'artistes européens du début du XXe siècle aux années 1960. Tous les grands noms sont là, de Picasso à Dalí et Miró, partageant la vedette avec les artistes de l'école expressionniste allemande, Georg Grosz, Otto Dix et Ernst Kirchner. La collection permanente cède parfois place à de prestigieuses expositions temporaires telle celle en 2007 du Metropolitan Museum of Art de New York.

COLLECTION DAIMLERCHRYSLER

Sammlung DaimlerChrysler ; ☎ 2594 1420 ; www.sammlung.daimlerchrysler.com ; Weinhaus Huth, Alte Potsdamer Strasse 5 ; entrée gratuite ; 11h-18h ; Potsdamer Platz ;
Échappez au bruit de la ville dans cette élégante galerie consacrée à l'art abstrait, conceptuel et minimaliste.

Vous la trouverez au dernier étage de la Weinhaus Huth, la seule structure ancienne ayant survécu à la guerre sur la Potsdamer Platz.

COLONNE DE LA VICTOIRE

Siegessäule ; ☎ 391 2961 ; www.monument-tales.de ; Grosser Stern, Tiergarten ; tarif plein/réduit 2,20/1,50 € ; 9h30-18h30 lun-ven, 9h30-19h sam et dim avr-oct, 10h-17h lun-ven, 10h-17h30 sam et dim nov-mars ; 100

Construite pour commémorer les exploits militaires prussiens, la colonne de la Victoire est devenue le symbole de la communauté gay de Berlin. La figure étincelante au sommet représente la déesse de la Victoire, surnommée "l'Else dorée" par les habitants . La vue depuis la plate-forme en dessous de ses jupes s'arrête au Tiergarten.

Vue sur la coupole du Sony Centre Forum (p. 80)

SHOPPING

POTSDAMER PLATZ ARKADEN *Galerie commerçante*

☎ 255 9270 ; www.potsdamer-platz-arkaden.de en allemand ; Alte Potsdamer Strasse ; 10h-21h lun-sam ; Potsdamer Platz

Cet agréable centre commercial regroupe de grandes enseignes de la mode, des livres et de l'électronique. On y trouve aussi deux supermarchés, des fast-foods et le glacier le plus prisé de la ville, le Caffé & Gelato.

SE RESTAURER

FACIL *Français* €€€€

☎ 590 051 234 ; www.facil-berlin.de ; 5e étage, Mandala Hotel, Potsdamer Strasse 3 ; 12h-15h et 19h-23h lun-ven ; Potsdamer Platz

Ce palais de verre dans le Mandala Hotel est un véritable oasis du goût dans la ville. Lampes d'albâtre et pierre naturelle couleur miel composent le décor pour l'excellente cuisine de Michael Kempf (étoilé au Michelin), heureusement dépourvue de tralalas superflus. Les gourmets au budget serré viendront à midi.

MAOA *Asiatique* €€-€€€

2248 8087 ; www.maoa.de en allemand ; Leipziger Platz 8 ; buffet simple 14,40 €, buffet à volonté 19,90 € ; 17h-1h lun-sam, 11h30-1h dim ; Potsdamer Platz

Le nom signifie "Modern Art of Asia", pourtant le concept ici n'est pas révolutionnaire puisqu'il s'agit d'une cuisine classique sautée au wok, connue partout à l'est de l'Oural. Au vaste buffet, allez faire votre marché en légumes, épices, nouilles et viandes (dont kangourou et crocodile), puis cuisez le tout à la sauce de votre choix, fenouil et ail ou saké à base de mûres.

VAPIANO *Italien* €-€€

2300 5005 ; www.vapiano.de ; Potsdamer Platz 5 ; 10h-1h lun-sam, 10h-minuit dim ; Potsdamer Platz

Le décor chic par Matteo Thun contribue autant que la savoureuse cuisine au succès de ce self-service. Les plats de pâtes, les salades créatives et les pizzas croustillantes sont préparés devant vous. Le panier de condiments contient du basilic frais. Vous réglez votre commande enregistrée sur une carte à mémoire en sortant.

WEILANDS WELLFOOD *International* €

2589 9717 ; www.weilands-wellfood.de en allemand ; Marlene-Dietrich-Platz 1 ; 9h30-21h30 ; Potsdamer Platz

Vous apprécierez ce bistro self-service spacieux et dans l'air du temps : vous y dégusterez des salades pleines de vitamines, des pâtes complètes, des sautés au wok et des sandwichs. En été, vous pouvez aller manger sur la terrasse au bord d'un petit bassin artificiel. Bonus : Wi-Fi gratuite.

PRENDRE UN VERRE

CAFÉ AM NEUEN SEE *Biergarten*

254 4930 ; fax 2544 9333 ; Lichtensteinallee 2, Tiergarten ; à partir de 10h mars-oct, sam et dim nov-fév ; Zoologischer Garten

Par les douces nuits d'été, ce joli *Biergarten* au bord d'un lac dans le Tiergarten attire les foules. Chopes de bière à accompagner de pizzas et de viandes grillées. Location de barques pour les romantiques.

QIU *Bar*

590 051 230 ; www.themandala.de ; 1er étage, Mandala Hotel, Potsdamer Strasse 3 ; 12h-1h dim-mer, 12h-3h jeu-sam ; Potsdamer Platz

Un des meilleurs bars d'hôtel à Berlin, ce lounge semble fait pour ceux qui aiment se montrer, mais est, en fait, un lieu d'où voir sans être vu. Les jolies lampes à franges et la mosaïque dorée de la cascade hypnotisent après un ou deux des puissants cocktails.

SORTIR

ARSENAL *Cinéma*

☎ 2695 5100 ; www.fdk-berlin.de ; Sony Center, Potsdamer Strasse 21, Tiergarten ; adulte/enfant 6,50/3 € ; Potsdamer Platz

Aux antipodes des grosses productions internationales, cette excellente salle projette des films qui vont de la satire japonaise à la comédie brésilienne en passant par les road-movies allemands, dont beaucoup sous-titrés en anglais.

PHILHARMONIE *Musique classique*

☎ 2548 8132 ; www.berliner-philharmoniker.de ; Herbert-von-Karajan-Strasse 1, Tiergarten ; places 7-120 € ; Potsdamer Platz

La salle de concert de la Philarmonie possède une acoustique parfaite et, grâce à la conception de "vignoble en terrasse" de Hans Scharoun, toutes les places sont bonnes. C'est le port d'attache du légendaire Berliner Philharmoniker, dirigé par Sir Simon Rattle. L'adjacente Kammermusiksaal accueille des formations plus petites.

BLUE MAN GROUP *Théâtre*

☎ 01805-4444 ; www.blueman.com ; Marlene-Dietrich-Platz 4 ; places 65-75 € ; Potsdamer Platz

L'extravagante comédie musicale mettant en scène un trio de garçons déjantés et énergiques en combinaison de latex "bleu Schtroumpf" a maintenant son propre théâtre, un cinéma IMAX reconverti, appelé Bluemax.

CINESTAR ORIGINAL *Cinéma*

☎ 2606 6260 ; www.cinestar.de en allemand ; Potsdamer Strasse 4 ; tarif plein/réduit 7,50/5,50 € ; Potsdamer Platz

Ce cinéma ultrasophistiqué dans le Sony Center présente les derniers succès d'Hollywood, tous en anglais.

REMETTRE LE CLASSIQUE AU GOÛT DU JOUR

Mozart, Beethoven et Grieg au lieu de la techno et des percussions, voici le concept du **Yellow Lounge** (www.yellowlounge.de en allemand), un club de musique classique qui organise des soirées une fois par mois. Un coup ingénieux d'Universal Music qui espère ainsi gagner une nouvelle audience pour ses disques de musique classique sous l'étiquette du Deutsche Grammophon. Les concerts prestigieux remplissent les clubs les plus en vue de la ville, notamment le Week-End (p. 61), le Cookies (p. 54) et Maria am Ostbahnhof (p. 127). Le DJ David Canisius, lui-même violoniste du Deutsches Kammerorchester, éduque les jeunes oreilles aux trésors musicaux des siècles passés. Cependant, tout le monde attend les grands artistes de la soirée, comme l'Emerson String Quartet, Andreas Scholl ou Sting.

PRENZLAUER BERG

Les stars sur le déclin savent qu'un lifting réussi peut relancer une carrière, et il semble que la même chose soit possible pour un quartier. Aucun autre quartier, mis à part Mitte et Tiergarten, n'a bénéficié d'un tel bain de jouvence depuis la réunification. Prenzlauer Berg, défiguré par la guerre, emprisonné derrière le Mur, est devenu en moins de dix ans un paradis pour les Berlinois dans le vent. Aujourd'hui, ses rues abritent restaurants internationaux de grand renom, bar branchés et boutiques tendance. Des immeubles imposants, fraîchement crépis dans des tons pastel, recèlent des lofts et de beaux appartements refaits à neuf, très recherchés des familles ou des jeunes urbains dynamiques, en même temps que des gays, des créateurs et des expatriés.

Il est agréable de visiter Prenzlauer Berg à pied (voir nos suggestions p. 23). Quelques lieux sont incontournables comme la Kastanienallee, l'endroit pour voir et pour être vu, l'Helmholtzplatz, moins chic et appréciée par les moins de 20 ans, ainsi que la Kollwitzplatz et le château d'eau, à la réputation déjà bien établie et fréquentés par les jeunes actifs. Près de la station d'U-Bahn Schönhauser Allee, le quartier autour de la Stargarder Strasse, qui se poursuit dans la Gleimstrasse, est populaire auprès des gays.

PRENZLAUER BERG

VOIR

- Café Achteck (pissotière) **1** B5
- Hirschhof **2** B3
- Cimetière juif **3** B4
- Kollwitzplatz **4** C4
- Kulturbrauerei **5** B3
- Château d'eau **6** C4

SHOPPING

- Biodrogerie Rosavelle ... **7** B5
- Coledampf's **8** C4
- East Berlin **9** B3
- Flohmarkt am Arkonaplatz **10** A4
- Flohmarkt am Mauerpark **11** A3
- Goldhahn & Sampson ... **12** C3
- Onkel Philipps Spielzeugwerkstatt **13** B4
- Pazianas Olivenöl **14** C3
- Ta(u)sche **15** C3
- Thatchers **16** B4

SE RESTAURER

- Fellas **17** B2
- I Due Forni **18** B5
- Kollwitzplatzmarkt **19** C4
- Konnopke's Imbiss **20** B3
- Mao Thai **21** C4
- Massai **22** C3
- Oderquelle **23** B3
- Pasternak **24** C4
- Rosenthaler Grill- und Schlemmerbuffet **25** A5
- Sasaya **26** C2
- W-Imbiss **27** A4

PRENDRE UN VERRE

- Bar Gagarin **28** C4
- Greifbar **29** C2
- Kakao **30** C3
- Marietta **31** C2
- Prater **32** B3
- Rote Lotte **33** A3
- Stiller Don **34** D2
- Wohnzimmer **35** C3
- Zum Schmutzigen Hobby **36** C4

SORTIR

- Icon **37** B2
- Knaack **38** D5
- Magnet **39** D5
- NBI ..... (voir **5**)

A
B
C
D
Bornholmer Str
Wisbyer Str
Prenzlauer Promenade
Paul-Robeson-Str
Kuglestr
Schivelbeiner Str
400 m
Ostseestr
Gudvanger Str
Wichertstr
Dänenstr
Schönhauser Allee
Kopenhagener Str
Stahlheimer Str
Erich-Weinert-Str
B109
Gleimstr
Greifenhagener Str
Falkplatz
Gaudystr
Wichertstr
Prenzlauer Allee
Grellstr
Max-Schmeling-Halle
Cantianstr
Pappelallee
Lychener Str
Stargarder Str
Friedrich Ludwig-Jahn Sportpark
Raumerstr
Lettestr
Dunckerstr
Helmholtzplatz
Senefelderstr
Diesterwegstr
Mauerpark
Eberswalder Str
Schliemannstr
Eberswalder Str
Fröbelplatz
Ella-Kay-Str
Danziger Str
Oderberger Str
Husemannstr
Rheinsberger Str
Schwedter Str
Sredzkistr
Chodowieckistr
Jablonskistr
Ernst-Thälmann-Park
Arkonaplatz
Tuntenhaus
Rykestr
Christburger Str
Danziger Str
Kastanienallee
Wörther Str
Choriner Str
Käthe-Kollwitz-Platz
Marienburger Str
Zionskirchplatz
Knaackstr
Greifswalder Str
Fehrbelliner Str
Schwedter Str
Kollwitzstr
Belforter Str
Winsstr
Volkspark Weinberg
Senefelderplatz
Immanuelkirchstr
Hufelandstr
Teutoburger Platz
Metzer Str
Käthe-Niederkirchner-Str
Weinbergsweg
Heinrich-Roller-Str
Strassburger Str
Saarbrücker Str
Prenzlauer Allee
Schönhauser Tor
Rosenthaler Str
Gormannstr
Linienstr
Prenzlauer Berg
Am Friedrichshain
Rosa-Luxemburg-Platz
Torstr
Mulackstr
Alte Schönhauser Str
Max-Beer-Str
Otto-Braun-Str
Friedenstr
Volkspark Friedrichshain
Gipsstr
Steinstr
Weydingerstr
Hirtenstr
Weinmeisterstr
Wadzeck Str
Rosa-Luxemburg-Str
Keibelstr
B2
Mitte – Scheunenviertel
Büschingstr
Dircksenstr
Mollstr
Monbijouplatz
1 2 3 4 5 6 7 8 9 10 11 12 13 14 15 16 17 18 19 20 21 22 23 24 25 26 27 28 29 30 31 32 33 34 35 36 37 38 39

VOIR

HIRSCHHOF

Cour du cerf ; entrée gratuite ; 24h/24 ; Eberswalder Strasse

En 1985, des artistes dissidents de la RDA ont transformé cette cour cachée entre les numéros 18 et 19 de l'Oderberger Strasse en un lieu de rendez-vous qui échappait aux yeux scrutateurs de la Stasi. La cour doit son nom à l'étonnante et monumentale sculpture en métal recyclé représentant un cerf. Pour la trouver, remontez l'allée et tournez à droite après l'atelier du mécanicien.

CIMETIÈRE JUIF

Jüdischer Friedhof ; 441 9824 ; Schönhauser Allee 23-25 ; entrée gratuite ; 8h-16h lun-jeu, 8h-13h ven ; Senefelderplatz

Le compositeur Giacomo Meyerbeer et l'artiste Max Liebermann font partie des Berlinois célèbres enterrés dans le deuxième cimetière juif de la ville, datant de 1827. La Seconde Guerre mondiale ne l'a pas épargné, mais il a été soigneusement restauré et abrite dans un cadre arboré de magnifiques tombes et mémoriaux. Les hommes doivent porter un couvre-chef.

KOLLWITZPLATZ

Senefelderplatz

Cette place verdoyante, au centre du renouveau de Prenzlauer Berg, a reçu son nom en hommage à l'artiste allemande du XXe siècle Käthe Kollwitz. Son buste en bronze se dresse au milieu des cafés et des restaurants où se rassemblent les gens du quartier, pendant que les enfants se dépensent sur le vaste terrain de jeux. Le samedi, le marché bio (p. 94) attire des gens de toute la ville.

KULTURBRAUEREI

4431 5151 ; www.kulturbrauerei-berlin.de ; Schönhauser Allee 36-39 ; Eberswalder Strasse

CHARMANTES PISSOTIÈRES

Il n'est pas dans nos habitudes d'attirer l'attention sur les toilettes publiques, mais cette hutte octogonale verte qui se fait remarquer tel un sapin de Noël devant la station d'U-Bahn Senefelderplatz (B5) mérite une mention spéciale. C'est l'une des vespasiennes qui fleurirent dans les rues de Berlin à la fin du XIXe siècle, quand l'explosion de la population commença à poser de sérieux problèmes sanitaires. Leur forme caractéristique les fit surnommer "Café Achteck" (Café Octogone). Le développement des toilettes à domicile causa leur ruine, mais les quelques survivantes (une vingtaine dans toute la ville) sont aujourd'hui pomponnées et modernisées. Les modèles dernier cri – comme celui de la Gendarmenmarkt – accueillent aussi les femmes. Toutefois, vous n'y trouverez toujours pas de café...

Les bâtiments fantaisistes en brique rouge et jaune de cette brasserie du XIXe siècle ont ressuscité sous la forme d'un village culturel avec un théâtre, des salles de concert, des restaurants, des night-clubs, des galeries et un cinéma multiplexe.

CHÂTEAU D'EAU

Wasserturm ; angle Knaackstrasse et Rykestrasse ; Senefelderplatz

Ce château d'eau en brique (1873), surnommé *Dicker Hermann* ("le gros Hermann"), fut transformé en camp de concentration par les nazis ; après la guerre, l'ensemble fut reconverti en appartements. En face, sur la Knaackstrasse, ont surgi des bars et des restaurants animés.

Sculpture famélique dans la cour de la Kulturbrauerei

SHOPPING

Le quartier est de plus en plus attractif pour le shopping car des boutiques originales voient le jour autour de l'Helmholtzplatz et de la Kollwitzplatz, ainsi que le long de la Kastanienallee, de l'Oderberger Strasse et de la Stargarder Strasse. Pour le quotidien, le centre commercial près de la station d'U-Bahn de Schönhauser est pratique.

BIODROGERIE ROSAVELLE

Cosmétiques

4403 3475 ; www.rosavelle.de en allemand ; Schönhauser Allee 10-11 ; 9h-20h ; Rosa-Luxemburg-Platz

Cette onctueuse parfumerie vous fera tout de suite vous sentir belle. Les produits présentés sont tous exclusivement naturels et les excellentes marques Dr Hauschka et Logona sont vendues beaucoup moins cher qu'ailleurs. Renseignez-vous pour une manucure ou un soin.

COLEDAMPF'S

Ustensiles pour la cuisine

4373 5225 ; www.coledampfs.de en allemand ; Wörther Strasse 39 ; 10h-20h lun-ven, 10h-18h sam ; Senefelderplatz

Pour tout cuisinier digne de ce nom, ce magasin offre un choix infini, des articles les plus fonctionnels aux plus fantaisistes. Casseroles en cuivre étincelant, couteaux à ravioli, verres à thé glacé ou cafetières à espressos… Vous ne manquerez pas de trouver l'objet indispensable.

EAST BERLIN *Mode*

☎ 2472 4189 ; www.eastberlinshop.de ; Kastanienallee 13 ; 🕑 12h-20h lun-ven, 11h-19h sam ; Ⓤ Eberswalder Strasse
Cora Schwind, gourou local de la mode, trouve son inspiration dans le paysage environnant (la tour de la télévision, par exemple) pour orner de logos les vêtements qu'elle crée. Pour adopter totalement le code vestimentaire berlinois, laissez-vous tenter par les bijoux en argent ou tout autre accessoire.

FLOHMARKT AM ARKONAPLATZ *Marché aux puces*

Arkonaplatz ; 🕑 10h-17h dim ; Ⓤ Bernauer Strasse
Ce petit marché aux puces réjouira les nostalgiques des années 1960 et 1970, avec une foultitude de meubles originaux, d'accessoires, de vêtements, de vinyles, de livres, et de souvenirs "made in RDA".

FLOHMARKT AM MAUERPARK *Marché aux puces*

Bernauer Strasse, Mauerpark ; 🕑 10h-17h dim ; Ⓤ Eberswalder Strasse
Ce marché aux puces, en lisière du parc, attire toutes sortes de vendeurs, des créateurs de T-shirts aux familles du quartier qui y voient une occasion de vider leurs armoires. Les prix sont encore très doux et le café à ciel ouvert et le "bar de plage" permettent de reprendre des forces.

GOLDHAHN & SAMPSON *Alimentation*

☎ 4119 8366 ; www.goldhahnund sampson.de en allemand ; Dunckerstrasse 9 ; 🕑 10h-20h lun-sam , 12h-16h dim Ⓤ Eberswalder Strasse
Sel rose français, huile d'argan du Maroc et pains allemands croustillants sont agréablement présentés pour aiguiser la tentation. Les patrons de cette épicerie fine sélectionnent leurs produits, la plupart rares et précieux, chez des petits producteurs.
Pour trouver l'inspiration, plongez-vous dans les livres de recettes de la bibliothèque. Au moment de notre visite, le magasin allait ouvrir sur place une école de cuisine.

ONKEL PHILIPPS SPIELZEUGWERKSTATT *Jouets*

☎ 449 049 ; Choriner Strasse 35 ; 🕑 9h30-18h30 mar, mer et ven, 11h-20h jeu, 9h30-16h sam ; Ⓤ Eberswalder Strasse
Philipp Schünemann veille sur cet univers de la fantaisie, trois pièces pleines à craquer de jouets fabriqués avec amour : trains en bois, marionnettes, puzzles, jeux de société. Ce magicien de l'enfance, qui prête, échange et répare absolument tout, a aussi réussi à faire de la place pour exposer sa collection de jouets de la RDA.

PAZIANAS OLIVENÖL
Alimentation

4404 9449 ; www.pazianas.de en allemand ; Senefelder Strasse 4 ; 12h-20h lun-ven, 11h-16h sam ; Eberswalder Strasse

La famille de Themistokles Pazianas a cultivé des olives en Grèce depuis quatre générations. Douces et fruitées ou plus intenses en saveur, seules les huiles de première qualité arrivent sur ses étagères, où trônent d'autres produits à base d'olives : crèmes, confitures et thés.

TA(U)SCHE *Sacs* S

4020 1770 ; www.tausche-berlin.de ; Raumerstrasse 8 ; 12h-20h lun-ven, 10h-18h sam ; Eberswalder Strasse

Ta(u)sche fabrique des sacoches pratiques, solides et élégantes, équipées de rabats amovibles qui se changent en quelques secondes. Pouvez-vous imaginer des sacs plus astucieux ?

THATCHERS *Mode*

2462 7751 ; www.thatchers.de ; Kastanienallee 21 ; 11h-19h, 12h-18h sam ; Eberswalder Strasse

Vétérans du monde de la mode à Berlin, ces stylistes se sont spécialisés dans les vêtements pour femmes actives, qu'ils souhaitent féminins mais pratiques, sexy mais pas vulgaires. Leurs élégantes robes, jupes et chemises se portent d'ailleurs aussi bien au bureau qu'à un dîner ou en boîte de nuit, et ne se démodent pas d'une saison sur l'autre. Il y a une autre boutique dans les Hackesche Höfe (p. 64).

Vous aurez l'embarras du choix au buffet du brunch, le dimanche, au Bar Gagarin (p. 97)

SE RESTAURER

FELLAS *Allemand* €€

4679 6314 ; www.fellas-berlin.de en allemand ; Stargarder Strasse 3 ; 10h-13h ; Schönhauser Allee ; V
Ce bar-café a un chef que l'on verrait bien dans un endroit beaucoup plus chic. Au menu ordinaire il ne se fait remarquer que par ses plantureuses salades, mais si vous optez pour le savoureux menu spécial, vous aurez une idée de sa créativité. Ses dernières trouvailles : risotto au bacon et aux poires, carpaccio de poulpe, et chou-fleur gratiné au couscous et basilic. Wi-Fi gratuit.

I DUE FORNI *Italien* €€

4401 7373 ; Schönhauser Allee 12 ; 12h-minuit ; Senefelderplatz
Décor pseudo-révolutionnaire pour cette pizzeria très animée tenue par une équipe de punks italiens. Le service laisse à désirer, mais les pizzas sont délicieuses, alors détendez-vous comme ses habitués chic et bohème. Les tables sont vite pleines dans ce vaste hall : réservez si vous voulez dîner après 20 h.

KOLLWITZPLATZMARKT *Marché* €€€

Wörther Strasse btwn Knaackstrasse et Kollwitzstrasse ; 12h-20h jeu, 9h-16h sam ; Senefelderplatz
Dans ce marché bio le plus chic de Berlin, vous trouverez tout ce qu'il faut pour préparer un repas de gourmet ou un pique-nique. Une clientèle aisée fait la queue pour se ravitailler en gorgonzola crémeux, jambon fumé aux baies de genévrier, bon pain au levain et *pestos* maison : soyez patients.

KONNOPKE'S IMBISS *Allemand* €

442 7765 ; Schönhauser Allee 44a ; 17h30-20h lun-ven, 12h-18h30 sam ; Eberswalder Strasse
Croquez-les tant qu'elles sont chaudes ! Cette légendaire baraque à saucisses ouvrit en 1930 sous les arches du métro aérien et sert toujours les meilleures *Currywurst* (saucisses au curry) de Berlin.

MAO THAI *Thaïlandais* €€-€€€

441 9261 ; www.maothai.de en allemand ; Wörther Strasse 30 ; 12h-minuit ; Senefelderplatz
Dans cet avant-poste sophistiqué de la Thaïlande, on vous assure que les nombreux plats de la carte sont tous préparés spécialement pour vous à partir d'ingrédients frais. Le canard à la peau croustillante est la spécialité. Les cygnes sculptés dans du navet et les roses épanouies dans les carottes sont de jolis chefs-d'œuvre à croquer.

MASSAI *Africain* €€

4862 5595 ; www.massai-berlin.de en allemand ; Lychener Strasse 12 ; 16h-minuit ; Eberswalder Strasse ; V

On a l'impression d'être en Afrique dans ce bar-restaurant grâce au décor, à la musique et à la bière de bananes. Les ragoûts sont servis comme en famille sur un plateau et on saisit la nourriture avec de l'*injera*, du pain spongieux qui absorbe la moindre saveur. Les végétariens seront comblés, tandis que les carnivores curieux pourront goûter au zèbre ou à l'antilope.

ODERQUELLE *Allemand* €€

☎ 4400 8080 ; www.oderquelle.de ; Oderberger Strasse 27 ; 17h-2h ; Eberswalder Strasse

Si ce modeste restaurant n'était pas devenu aussi populaire, on entrerait en passant y prendre une bière accompagnée de spécialités allemandes simples, mais bien cuisinées. Hélas, sans réservation, les chances de trouver une table après 20h sont maigres. Dernière solution : se faufiler entre deux tabourets au bar.

PASTERNAK *Russe* €€

☎ 441 3399 ; www.restaurant-pasternak.de en allemand ; Knaackstrasse 22 ; 10h-1h ; Senefelderplatz

L'écrivain russe Boris Pasternak (auteur de *Docteur Jivago*) aurait certainement trouvé à son goût ce restaurant au mobilier ancien, éclairé par des lustres. Le menu ressemble à un vieil album de famille ; des photos en noir et blanc sur la gauche et, sur la droite, les plats : bortsch, blinis, bœuf Stroganoff... Les tables trop rapprochées gâchent un peu l'ambiance.

ROSENTHALER GRILL-UND SCHLEMMERBUFFET

Moyen-oriental €

☎ 283 2153 ; Torstrasse 125 ; 24h/24 ; Rosenthaler Platz

Les meilleurs chiches-kebabs de la ville. Rien à ajouter.

Scène de café en face du château d'eau (p. 91)

Gordon W

Chef et concepteur de W-Imbiss, adepte de Tiki, joueur de thérémine et membre du Neoism (mouvement artistique expérimental canadien)

Vous êtes venu à Berlin depuis le Canada. Pourquoi êtes-vous resté ? À cause de l'art très vivant et des scènes alternatives, de la tolérance générale, et puis on pe boire, fumer, se coucher à pas d'heures... **Où allez-vous quand vous avez envie d bien manger ?** J'adore le Sasaya (ci-contre), surtout sa seiche grillée à la mayonnai au wasabi. **Berlin est-il meilleur pour le sexe ou la romance ?** Il y a des bordels partout. Quant à la romance, la chance m'a souri autrefois. Et puis, il y a le Kit Kat Club (p. 148) pour les décadents. **En quoi Berlin a-t-il changé depuis que vous vivez ici ?** Berlin est encore à l'avant-garde, mais l'argent change la donne, certains quartiers deviennent B.C.B.G., ce qui pousse les artistes dehors alors qu'ils rendaien ces lieux vivants. **Pourquoi apprenez-vous le tango?** Le tango m'a ensorcelé. Berlin est la deuxième ville au monde pour le tango, après Buenos Aires.

SASAYA *Asiatique* €€-€€€

/fax 4471 7721 ; Lychener Strasse 50 ; 12h-15h et 18h-22h30 jeu-mar ; Schönhauser Allee ;

Tout ce que vous commandez dans ce restaurant minimaliste est parfait : sushis, salades, tempura ou poisson. Les tables sont vite pleines d'expatriés japonais et de Berlinois avertis. Réservation plus que conseillée.

W-IMBISS *Fusion* €

4302 0678 ; www.agentur103.de ; Kastanienallee 49 ; 12h-minuit ; Rosenthaler Platz

L'artiste culinaire qu'est Gordon Wallie allie sur sa palette des touches du monde entier. Pour apprécier son génie, il faut commander le menu du jour, consistant souvent en du poisson mariné dans des épices qui resteront "top secrètes". Besoin d'un remontant ? Son cocktail de pomme pressée et d'herbe de blé est bourré de vitamines. Pour mieux connaître Gordon, lisez l'interview (à gauche).

PRENDRE UN VERRE

BAR GAGARIN *Café-bar*

442 8807; www.bar-gagarin.de; Knaackstrasse 22-24 ; 10h-2h ; Senefelderplatz

Préparez-vous à décoller avec de la vodka, de la bière russe et du bortsch dans ce lounge rétro qui rend hommage au cosmonaute soviétique Yuri Gagarin, avec des fresques spatiales sur les murs. Les clients sont loquaces et le personnel est sympathique. On y sert le petit déjeuner et, le dimanche, le brunch.

KAKAO *Café-bar*

4403 5653 ; fax 4467 7589 ; Dunckerstrasse 10 ; à partir de 12h ; Eberswalder Strasse

Les Aztèques qui pensaient que le chocolat était l'élixir des dieux trouveraient dans ce café couleur moka leur paradis. Les accrocs du cacao auront l'embarras du choix pour assouvir leurs envies : gâteaux maison, mousse, chocolat chaud, ou boisson au chocolat rehaussée de rhum ou de whisky. Il est souvent bondé le dimanche après-midi.

MARIETTA *Café-bar*

4372 0646 ; www.marietta-bar.de en allemand ; Stargarder Strasse 13 ; 10h-14h lun-ven, 10h-16h sam et dim ; Schönhauser Allee ;

Tables en haricot et fauteuils vert mousse : le style rétro de ce tranquille self-service de quartier rappelle le salon de grand-mère. Prenez place derrière la grande fenêtre pour regarder à votre aise le spectacle de la rue ou emmenez votre café au lait dans la pièce du fond où la lumière plus douce est propice à la conversation. Le mercredi soir, l'endroit est inscrit dans le circuit des soirées gays.

Étrange lumière orange, mobilier rétro et bonnes vibrations au Wohnzimmer

PRATER *Biergarten*

☎ 448 5688 ; www.pratergarten.de en allemand ; Kastanienallee 7-9 ; à partir de 12h mi-avr-sept ; Eberswalder Strasse

Le plus ancien des *Biergarten* de Berlin (depuis 1837), également l'un des plus beaux, parfait pour une chope sous un marronnier. Il propose un restaurant traditionnel, une petite scène de théâtre et des nuits dansantes au Bastard club.

ROTE LOTTE *Bar*

☎ 0172-318 6868 ; Oderberger Strasse 38 ; 19h-2h ; Eberswalder Strasse

Nommé en hommage à un opposant communiste au régime nazi, ce petit bar, avec ses sofas en velours, son éclairage de boudoir et sa musique indé, est le lieu idéal pour de longues conversations autour d'un verre. Le Lotte est aussi un cocktail maison, mélange de vodka et de liqueur à la fraise et au citron.

STILLER DON *Bar gay*

☎ 445 5957 ; www.stillerdon.de en allemand ; Erich-Weinert-Strasse 67 ; à partir de 20h ; Schönhauser Allee

Relique du temps de la RDA, ce bar est tout sauf tranquille (*still*), surtout les lundis soirs quand les garçons débutent la soirée en buvant des bières, avant de la continuer dans l'intimité sombre mais animée du **Greifbar** (Wichertstrasse 10).

WOHNZIMMER *Pub*

☎ 445 5458 ; Lettestrasse 6 ; à partir de 10h ; Schönhauser Allee

Goûtez le décor et les vibrations funky de cette "salle de séjour", où l'on vient prendre son petit déjeuner ou son goûter, mais l'endroit ne s'anime que très tard. Les sofas et les fauteuils dépareillés renseignent sur tous les styles de mobilier depuis un siècle.

ZUM SCHMUTZIGEN HOBBY *Bar gay*

www.ninaqueer.com en allemand ; Rykestrasse 45; à partir de 17h ; Senefelderplatz

Dans cet antre louche au décor kitsch et glamour, la diva des drag-queens Nina Queer préside à des soirées rassemblant une clientèle interlope. L'action n'est pas pour les timorés (la tapisserie porno des toilettes des hommes vous met au fait).

SORTIR

ICON *Club*

4849 2878 ; www.iconberlin.de ; Cantianstrasse 15 ; entrée 3-10 € ; à partir de 23h mar, ven et sam ; Eberswalder Strasse

Ce sous-sol caverneux et moite est le meilleur endroit de Berlin pour écouter du drum'n'bass ; la soirée Recycle du samedi est une institution locale. Le vendredi est généralement dédié à des événements spéciaux, comme les soirées nu-skool, breakbeat et downtempo.

KNAACK *Musique live*

442 7060 ; www.knaack-berlin.de en allemand ; Greifswalder Strasse 224 ; soirées gratuites-5 €, concerts gratuits-15 € ; lun, mer, ven et sam ; M4

Ce club de jeunesse de la RDA, datant de 1952, rallie aujourd'hui les jeunes sous un tout autre drapeau. Ils s'y pressent pour écouter leurs groupes favoris, surtout de Berlin et d'Allemagne de l'Est, et les fans du mythique Rammstein (qui a élu domicile juste à côté) y ont aussi leurs habitudes. Des fêtes sur les 5 pistes de danse et des soirées karaoké sont également organisées.

MAGNET *Musique live*

4400 8140 ; www.magnet-club.de en allemand ; Greifswalder Strasse 212-213 ; entrée 1-15 € ; concerts 20h, soirées 23h ; M4

Petit, pas cher et miteux, ce bastion de la musique indé est réputé pour savoir reconnaître les groupes montants avant qu'ils ne soient propulsés sur la scène internationale. Après le concert, place à la danse avec des DJ sautant du punk à la pop ou au disco, selon les soirées.

NBI *Club*

4405 1681 ; www.neueberliner initiative.de en allemand ; Kulturbrauerei, Schönhauser Allee 36 ; entrée gratuite-6 € ; à partir de 18h ; Eberswalder Strasse

Relogé dans la Kulturbrauerei, NBI a perdu son charme de salle à manger familiale, mais la piste de danse et la programmation ont gagné au change. Le mercredi, la soirée électro et rock indé de Berlin Hilton, jadis gay, devient mixte.

KREUZBERG EST

Kreuzberg a toujours eu une double personnalité. La partie ouest est devenue un quartier bobo très chic tandis que la partie est, entre la Kottbusser Tor et la Spree, connue pour ses soirées nocturnes parmi les plus dynamiques de la ville, affiche un visage plus populaire. De nouveaux établissements s'ouvrent tout le temps, surtout en bordure de la rivière. C'est aussi du côté est de Kreuzberg que vit la vaste communauté turque de Berlin. Même s'il est un peu miteux, le quartier autour de la porte de Cottbus (Kottbusser Tor ou Kotti) est sympathique ; il porte le surnom de "Petite Istanbul" car, comme dans cette ville, abondent les cafés où l'on fume la *shisha*, les épiceries aux étals colorés, les petits restaurants de chiches-kebabs ; deux fois par semaine un marché s'y tient le long du canal.

Tandis que Mitte s'est démocratisé et que Prenzlauer Berg s'est embourgeoisé, la partie est de Kreuzberg a conservé ses racines alternatives qui remontent à la guerre froide. Durant ces années, à l'ombre du Mur, étudiants, punks et squatters transformèrent ce quartier pauvre et délaissé, connu pour ses violents affrontements avec la police chaque 1er mai, en un vivier de la contre-culture. Si le côté radical s'est aujourd'hui émoussé, le quartier est de Kreuzberg n'en demeure pas moins un lieu excitant.

KREUZBERG EST

SHOPPING

Killerbeast 1 E2
Overkill 2 D2
UKO Fashion 3 B2
Spindler & Klatt 10 C1
Türkenmarkt 11 B3

SE RESTAURER

Hartmanns 4 A4
Hasir 5 B2
Henne 6 A1
Horváth 7 B3
Jolesch 8 C2
Rissani 9 C2

PRENDRE UN VERRE

Ankerklause 12 B3
Freischwimmer 13 F3
Heinz Minki 14 E3
Möbel Olfe 15 A2
Orient Lounge (Rote Harfe) 16 B2
Rosa Bar 17 C2
Roses 18 B2
San Remo Upflamör 19 E2
Würgeengel 20 A2

SORTIR

Badeschiff 21 F3
Club Culture Houze 22 D2
Club der Visionäre 23 F3
Lido 24 E2
SO36 .... 25 B2
Watergate 26 E2
Wild at Heart 27 C3

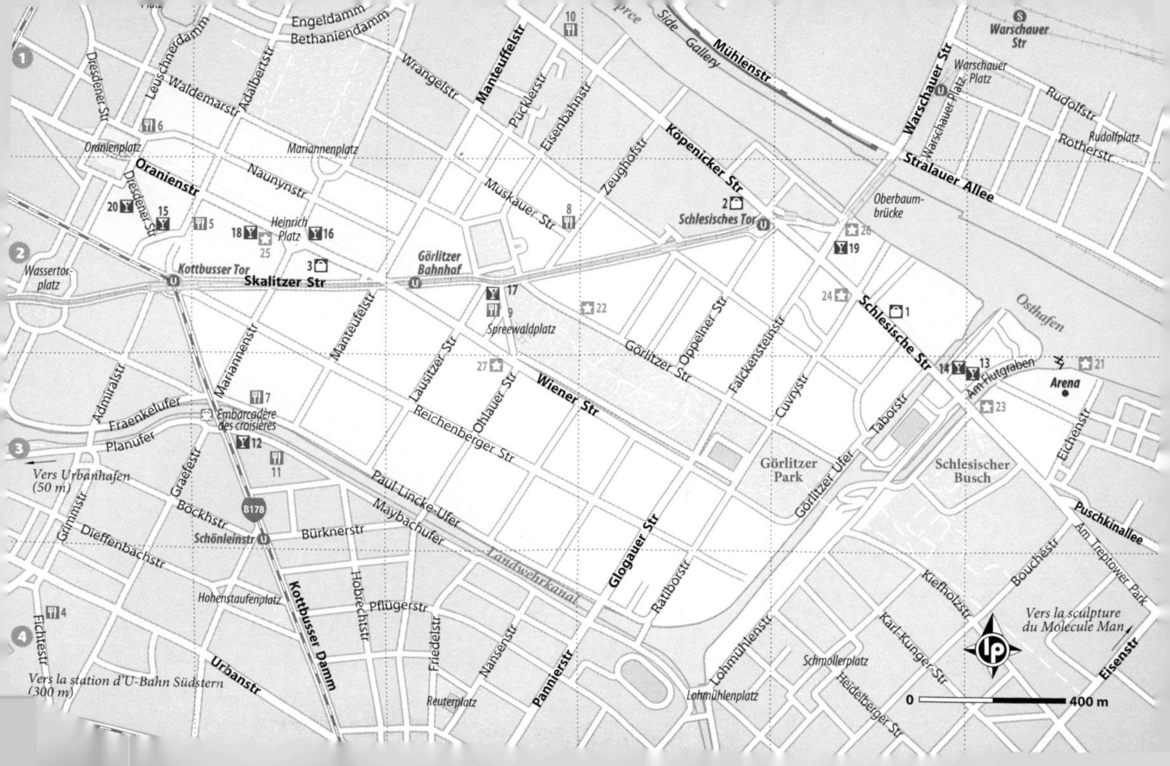

Warschauer Str
Mühlenstr
Side Gallery
Stralauer Allee
Warschauer Platz
Rudolfstr
Rudolfplatz
Rotherstr
Oberbaumbrücke
Köpenicker Str
Schlesisches Tor
Osthafen
Schlesische Str
Am Flutgraben
Arena
Eichenstr
Schlesischer Busch
Puschkinallee
Am Treptower Park
Bouchéstr
Kiefholzstr
Karl-Kunger-Str
Heidelberger Str
Schmollerplatz
Vers la sculpture du Molecule Man
Eisenstr
0
400 m
Taborstr
Görlitzer Ufer
Görlitzer Park
Cuvrystr
Falckensteinstr
Oppelner Str
Görlitzer Str
Ratiborstr
Glogauer Str
Lohmühlenstr
Lohmühlenplatz
Pannierstr
Nansenstr
Friedelstr
Reuterplatz
Landwehrkanal
Maybachufer
Paul-Lincke-Ufer
Wiener Str
Reichenberger Str
Ohlauer Str
Lausitzer Str
Spreewaldplatz
Görlitzer Bahnhof
Skalitzer Str
Manteufelstr
Muskauer Str
Zeughofstr
Eisenbahnstr
Pücklerstr
Wrangelstr
Mariannenplatz
Engeldamm
Bethaniendamm
Leuschnerdamm
Waldemarstr
Adalbertstr
Naunynstr
Oranienstr
Oranienplatz
Dresdener Str
Heinrich Platz
Kottbusser Tor
Wassertorplatz
Mariannenstr
Admiralstr
Fraenkelufer
Planufer
Embarcadère des croisières
Vers Urbanhafen (50 m)
Graefestr
Böckhstr
Schönleinstr
B178
Bürknerstr
Hobrechtstr
Pflügerstr
Kottbusser Damm
Hohenstaufenplatz
Dieffenbachstr
Grimmstr
Fichtestr
Urbanstr
Vers la station d'U-Bahn Südstern (300 m)
1
2
3
4

SHOPPING

Ce n'est habituellement pas dans le but de faire du shopping que l'on se rend dans l'est de Kreuzberg mais, dans l'Oranienstrasse et la Schlesische Strasse, vous trouverez des articles kitsch, du vintage grunge et du streetwear original.

KILLERBEAST *Mode*

9926 0319 ; www.killerbeast.de en allemand ; Schlesische Strasse 31 ; 15h-19h30 lun, 12h-19h30 mar-ven, 11h-16h sam ; Schlesisches Tor

"Tuer l'uniformité", telle est la devise de cette boutique singulière où, à l'arrière, Claudia et son équipe font du neuf avec du vieux. Chaque vêtement est unique et vendu à un prix très raisonnable.

OVERKILL *Mode*

6950 6126 ; www.overkillshop.de en allemand ; Köpenicker Strasse 195a ; 11h-20h lun-ven, 11h-18h sam ; Schlesisches Tor

Cette boutique pour hommes est la meilleure adresse en ville pour les éditions limitées de baskets par Adidas, Nike, Converse, Puma et d'autres noms plus obscurs, tels YackFon et Addict. De plus, vous y trouverez un stock de T-shirts originaux et un mur entier de bombes de peinture, si vous vous sentez subitement inspiré.

UKO FASHION *Mode*

693 8116 ; www.uko-fashion.de en allemand ; Oranienstrasse 201 ; 11h-20h lun-ven, 11h-16h sam ; Görlitzer Bahnhof

Délices turques au restaurant Hasir

LES PRISONNIERS DONNENT LE TON

Les créateurs de mode trouvent l'inspiration partout, dans la rue, sur la plage, dans la pop culture et… en prison. Cela paraît incongru, mais le prêt-à-porter réalisé en prison est le concept original de la marque Haeftling ("prisonnier"), basée dans le quartier de Kreuzberg, qui a commencé dès 2003 à employer des prisonniers dans une maison d'arrêt locale. Les vêtements robustes et durables inspirés par la vie derrière les barreaux ont tout de suite été un succès, en particulier les chemises de travail à rayures bleues, si bien que la gamme des produits s'est étendue aux torchons, draps et vins. Actuellement, **Haeftling** (www.haeftling.de) ne vend qu'en ligne, mais elle envisage une boutique dans un bâtiment de brique et de mortier.

Bonne qualité pour pas cher, telle est la formule magique qui a apporté une clientèle fidèle à cette boutique bien ordonnée de vêtements griffés. Véritable mine d'or pour les vêtements de seconde main ou les invendus de la collection passée de marques comme Freesoul, Vero Moda, Pussy Deluxe, Gsus et Armani.

SE RESTAURER

L'Oranienstrasse est loin de manquer de restaurants, mais ils sont au mieux passables. Les vrais trésors se cachent dans les petites rues résidentielles. Vous trouverez également de bons restaurants le long de Paul-Lincke-Ufer (dont Horváth, p. 104).

HARTMANNS

International €€€

☎ 6120 1003 ; www.hartmanns-restaurant.de en allemand ; Fichtestrasse 31 ; 18h-minuit lun-sam ; Südstern

Stefan Hartmann a étudié auprès de chefs renommés à Hollywood et à Berlin avant d'ouvrir ce restaurant romantique dans un sous-sol au début de 2007. Son menu, alliant une cuisine allemande familiale sophistiquée à la grande cuisine internationale remporte déjà un franc succès. On savoure aussi le décor, avec ses voûtes, ses œuvres d'art originales et son envoûtante cheminée.

HASIR *Turc*

€-€€

☎ 614 2373 ; fax 6150 7082 ; Adalbert strasse 12 ; 24h/24 ; Kottbusser Tor

On imagine tous les délices de l'Orient dans ce restaurant, maison mère de la petite chaîne établie par Mehmed Aygün, dont on dit qu'il a inventé le chiche-kebab à la berlinoise en 1971. Les tables dans un décor chaleureux sont pleines, à toute heure du jour, d'hôtes se régalant d'agneau aux épices ou de copieuses assiettes d'entrées.

HENNE *Allemand* €-€€

☎ 614 7730 ; www.henne-berlin.de en allemand ; Leuschnerdamm 25 ; à partir de 19h mar-dim ; Kottbusser Tor

Vous n'aimez pas ces restaurants avec une carte d'un kilomètre de long ? Eh bien, vous n'aurez pas ce problème dans cette institution berlinoise dont la carte se résume à un seul plat : le poulet rôti. C'est à prendre ou à laisser. Depuis 1907, le concept est un succès, alors il n'y a pas à débattre. On peut manger dans le jardin en été. Réservation conseillée.

HORVÁTH *International* €€€

☎ 6128 9992 ; www.restaurant-horvath.de en allemand ; Paul-Lincke-Ufer 44a ; 18h-1h mar-dim ; Kottbusser Tor

Dans ce petit bijou, au milieu des bistros alignés sur la rive du Landwehrkanal (canal Landwehr), Wolfgang Müller traduits les saveurs de l'Asie, de l'Allemagne et de la Méditerranée en des créations uniques, comme le foie gras aux coquilles Saint-Jacques avec poireaux à l'orange vanillée. Vous pouvez tenter le menu de 10 plats (63 €).

JOLESCH *Autrichien* €€-€€€

☎ 612 3581 ; www.jolesch.de en allemand ; Muskauer Strasse 1 ; 10h-1h ; Görlitzer Bahnhof

Ce salon vert et douillet, qui a sa bande de fidèles, vous offre le choix entre un repas classique autrichien (*Schnitzel* ou goulash), et un menu plus raffiné avec carpaccio de langouste, tagliatelles à la betterave ou autres spécialités d'inspiration internationale. Le déjeuner comprenant 3 plats est très bon marché (8,50 €), mais les portions pourraient être plus copieuses.

L'ancienne boulangerie industrielle Spindler & Klatt est devenue un restaurant très tendance

RISSANI *Moyen-oriental* €

6162 9433 ; Spreewaldplatz 4 ; 12h-3h dim-jeu, 12h-5h ven et sam ; Görlitzer Bahnhof

Ce petit restaurant aux carreaux et peintures exotiques prépare des falafels et shawarmas parmi les meilleurs de la ville. Le thé servi avec eux est un petit plus agréable.

SPINDLER & KLATT *Fusion* €€-€€€

6956 6775 ; www.spindlerklatt.com en allemand ; Köpenicker Strasse 16/17 ; 20h-1h mer-sam ; Schlesisches Tor

L'alchimie opérant entre l'ancien et le moderne a transformé cette vieille boulangerie industrielle en une adresse tendance pour des soirées sur la Spree (en été, sur la terrasse). La cuisine aux saveurs asiatiques, françaises et allemandes est servie à des tables ou sur des lits plates-formes. Entrez par la grille de fer et continuez sur l'allée jusqu'à la rivière, puis tournez à gauche.

TÜRKENMARKT *Marché* €

Marché turc ; Maybachufer ; 12h-18h30 mar et ven ; Schönleinstrasse

Sur ce marché coloré au bord du canal, vous trouverez des olives, de la feta, du pain frais et de nombreux fruits et légumes. Provisions sous le bras, suivez le canal vers l'ouest jusqu'à un petit parc près de l'Urbanhafen, idéal pour un pique-nique.

PRENDRE UN VERRE

L'Oranienstrasse et la Schlesische Strasse ont toujours été le quartier des bars, mais des nouveautés sont apparues dans la Wiener Strasse et la Skalitzer Strasse.

ANKERKLAUSE *Pub*

693 5649 ; www.ankerklause.de en allemand ; Kottbusser Damm 104 ; à partir de 16h lun et de 10h mar-dim ; Kottbusser Tor

Ohé, matelots ! Dans une vieille cahute de capitaine, cette taverne au décor nautique kitsch est parfaite pour lamper son verre tout en hélant les bateaux glissant sur le Landwehrkanal. Le jeudi, les DJ inondent les fêtards ouverts à toute sorte de musique électronique, de soul et de breakbeat.

FREISCHWIMMER *Café-bar*

6107 4309 ; www.freischwimmer-berlin.de en allemand ; Vor dem Schlesischen Tor 2a ; à partir de 12h lun-ven, de 11h sam et dim juin-août ; à partir de 18h jeu et ven, de 11h sam et dim nov et déc ; à partir de 14h lun-ven, de 11h sam et dim sept, oct, mars-mai ; Schlesisches Tor

Il existe très peu d'endroits aussi idylliques que cet ancien garage à bateaux doté d'une terrasse ensoleillée et flottant sur un petit canal. Venez y prendre un verre ou

Thilo Schmied

Patron de Fritz Music Tours (p. 187)

Qu'est-ce qui est si spécial à Berlin ? Le mélange de vieux et de neuf, dans l'architecture par exemple, et la mixité des habitants, qui viennent du monde entier. **Quel est votre *Kiez* préféré ?** Kreuzberg. Les gens pensent que ce quartier est chaotique, mais il y a de merveilleux oasis tel le Landwehrkanal. **Quelles sont les expériences à ne pas manquer à Berlin ?** Monter à la tour de la télévision (p. 59), manger une *Currywurst* au Curry 36 (p. 116), faire du shopping dans Scheunenviertel (p. 66) et boire une bière au Café am Neuen See (p. 86) dans le Tiergarten. **Un jour férié idéal pour vous qu'est-ce que c'est ?** Nager au Prinzenbad, prendre le petit déjeuner sur le Landwehrkanal, puis aller faire quelques achats dans les Alte et Neue Schönhauser Strasse (p. 66) dans Mitte. L'après-midi, une partie de beach-volley suivie d'un concert au Lido ou au Magnet. **Quels sont vos clubs préférés ?** Le Lido (p. 109) pour la musique punk, le Magnet (p. 99) pour le rock et le Berghain/Panoramabar (p. 126) pour la techno

manger un morceau. L'entrée se trouve sur la droite de la plus vieille pompe à essence de Berlin.

HEINZ MINKI

Café et Biergarten

☎ 6953 3766 ; www.heinzminki.de en allemand ; Vor dem Schlesischen Tor 3 ; à partir de 12h ; Schlesisches Tor

Avec ses vieux arbres et ses lampions colorés, ce *Biergarten* est un coin enchanteur pour se détendre après une journée bien remplie. Attenant au jardin, l'édifice aux murs de brique rouge abrite un minuscule bar et un restaurant chaleureux.

MÖBEL OLFE *Pub*

☎ 6165 9612 ; www.moebel-olfe.de en allemand ; Reichenberger Strasse 177 ; à partir de 20h mar-dim ; Kottbusser Tor

Cet ancien magasin de meubles a été transformé en un pub toujours animé, fréquenté surtout par des gays et des lesbiennes. Le décor, qui comprend entre autres des squelettes d'animaux suspendus au-dessus du bar, n'est pas très rassurant après quelques bières polonaises ou vodkas. Il est situé en plein cœur du quartier turc de Kreuzberg. L'entrée est dans la Dresdener Strasse.

ORIENT LOUNGE *Bar*

☎ 6956 6762 ; www.orient-lounge.com en allemand ; Oranienstrasse 13 ; à partir de 17h ; Görlitzer Bahnhof

Musique arabe et parfums de pomme et de miel dans ce salon où l'on fume la *shisha* vous emportent dans la kasbah. Calez-vous sur votre cousin favori dans l'arrière-salle à l'ambiance sensuelle ou réservez une alcôve privée pour siroter des cocktails derrière un rideau de perles. Entrée secrète, par le pub Rote Harfe.

ROSA BAR *Bar*

☎ 7007 1910 ; Spreewaldplatz 2 ; à partir de 20h mer-sam ; Görlitzer Bahnhof

Seules des lettres roses indiquent "Bar" et il faut sonner à la porte. Les initiés du quartier aiment ce bar en sous-sol à la longue liste de cocktails sophistiqués. On s'installe sur des poufs blancs remplis de haricots ou dans la semi-intimité de trois alcôves très recherchées.

ROSES *Bar gay*

☎ 615 6570 ; Oranienstrasse 187 ; à partir de 21h ; Kottbusser Tor

Kitsch mais joli, le Roses, bien ancré dans Kreuzberg, attire toujours une clientèle fêtarde par son décor recherché et ses alcools forts.

SAN REMO UPFLAMÖR

Café-bar

☎ 7407 3088 ; www.sanremo-upflamoer.de en allemand ; Falckensteinstrasse 46 ; à partir de 10h ; Schlesisches Tor

L'espace manque un peu dans ce café-bar de quartier décontracté où tout le monde, des étudiants aux punks, vient se rassasier de gâteaux, de cocktails et de conversation. En été, les tables débordent sur le trottoir.

WÜRGEENGEL *Bar*

☎ 615 5560 ; www.wuergeengel.de en allemand ; Dresdener Strasse 122 ; à partir de 19h ; Kottbusser Tor

Vous rêvez d'une soirée brillante, pointez votre boussole sur cette cave à cocktails faiblement éclairée, non loin des clubs de l'Oranienstrasse. Un décor tout à fait 1950 avec un étonnant plafond de verre, des lustres et des tables noires brillantes. Son nom rend hommage au film de Luis Buñuel, de 1962, *L'Ange exterminateur.*

SORTIR

Si vous aimez les soirées décontractées et bruyantes, la Schlesische Strasse est à vous.

BADESCHIFF *Piscine*

☎ 533 2030 ; www.arena-berlin.de en allemand ; Eichenstrasse 4 ; entrée été/hiver 3/12 € ; variables, en général 8h-minuit en été, 12h-minuit en hiver ; Schlesisches Tor

Prenez une vieille péniche, remplissez-la d'eau et amarrez-la au bord de la Spree… et voilà une piscine urbaine très tendance. En été, par ses corps exposés sur le sable ou les planches de la terrasse, elle rappelle un peu l'hédoniste Ibiza ; le bar marche aussi très fort. Venez tôt car l'endroit se remplit vite. En hiver, la piscine est couverte et chauffée ; il y a aussi deux saunas (hommes uniquement le lundi).

CLUB CULTURE HOUZE *Club*

☎ 6170 9669 ; www.club-culture-houze.de en allemand ; Görlitzer Strasse 71 ; entrée variable ; mer-lun ; Görlitzer Bahnhof

Ce club des fêtes du sexe s'adresse en priorité aux gays à qui il propose des thèmes lourdement suggestifs : "Naked" le lundi, "Fist factory" le vendredi et "Naked & Underwear" le samedi. Les couples hétéro cherchant l'aventure ont leurs soirées le mercredi et le dimanche.

À la Badeschiff, on nage sur la Spree mais pas dedans

CLUB DER VISIONÄRE
Bar et club

6951 8944 ; www.clubdervisionaere.com en allemand ; Am Flutgraben 1; entrée gratuite-10 € ; à partir de 16h lun-ven, de 12h sam et dim ; Schlesisches Tor

Ce club qui fait profiter au maximum des journées et soirées d'été, dans un abri pour bateaux en face du Freischwimmer (p. 105), est parfait pour un verre ou deux sur les planches de la terrasse ensoleillée. Le dimanche, ses afters sont les plus joyeuses de la ville.

LIDO *Musique live*

6956 6840 ; www.lido-berlin.de en allemand ; Cuvrystrasse 7 ; prix variable ; Schlesisches Tor

La zone de divertissements de la Schlesische Strasse compte une nouvelle adresse pour concerts et soirées, grâce aux DJ du Karrera Club qui ont insufflé une nouvelle vie dans ce cinéma abandonné. Des groupes de rock anglais, tels que Klaxons ou Maximo Park, font salle comble. Vous remarquerez la belle forme en S du bar en bois.

SO36 *Club*

6140 1306 ; www.so36.de en allemand ; Oranienstrasse 190 ; entrée 3-8 € ; sam et dim, variable les autres nuits ; Kottbusser Tor

Ce haut lieu de la culture punk est le gardien de l'éthique alternative de Kreuzberg et s'y emploie au gré de son programme très excentrique de concerts et de nuits à thèmes. Les événements gay et lesbien sont réputés, notamment la Gayhane, fête "homorientale" (4e samedi du mois), et le bal du Café Fatal le dimanche. Consultez le programme avant d'y aller.

WATERGATE *Club*

6128 0394 ; www.water-gate.de ; Falckensteinstrasse 49a ; entrée 6-12 € ; à partir de 23h ven et sam ; Schlesisches Tor

On ne voit pas la nuit passer dans ce club au bord de la Spree tant l'action est intense sur la terrasse flottante juste en face de l'Oberbaumbrücke et du bâtiment d'Universal Music. Les soirées et des événements promotionnels orchestrés par des DJ de renom international, Richardo Villalobos et Ellen Allien, par exemple, font vibrer les deux pistes de danse aux sons de la house et de la techno.

WILD AT HEART *Musique live*

611 9231 ; www.wildatheartberlin.de ; Wiener Strasse 20 ; entrée 5-8 € ; à partir de 20h ; Görlitzer Bahnhof

Nommée d'après le film de David Lynch, cette boîte est incontournable pour le punk, le ska et le rockabilly. Des groupes s'y produisent, dont les célèbres Girlschool et Dick Dale, attirant plusieurs fois par semaine les amateurs tatoués. Si vos oreilles ont besoin d'un break, rejoignez le bar-restaurant, situé juste à côté.

KREUZBERG OUEST

En dépit de ses racines bohémiennes, la partie ouest de Kreuzberg, comparée à sa voisine des quartiers est, est empreinte d'un calme et d'un chic bon teint. S'apparentant au nord à une extension du Mitte, et jouxtant au sud l'aéroport de Tempelhof, elle accueille les centres d'intérêt les plus importants du quartier : le Musée juif et Checkpoint Charlie.

L'embourgeoisement du quartier, accompli comme une revanche, a apporté des rues plus propres, des bâtiments plus jolis, des restaurants plus raffinés et, dans l'ensemble, une ambiance plus sereine. Le Mehringdamm et la Bergmannstrasse – les deux artères les plus animées du quartier, bordées de chaleureux cafés et de boutiques – sont particulièrement fréquentés par les jeunes gens qui habitent ici et dont la réussite économique est visible. La proche colline qui a donné son nom au quartier (Kreuzberg signifie "colline de la croix") forme aujourd'hui un vaste parc au sommet duquel se dresse le mémorial célébrant la victoire de la Prusse en 1815 contre Napoléon. Des pelouses pour les bains de soleil, un *Biergarten* et une cascade artificielle en sont ses principaux attraits en été.

Entre les parties est et ouest de Kreuzberg coule le Landwehrkanal, dont les rives idylliques sont une invitation à la balade et aux pique-niques.

KREUZBERG OUEST

VOIR

Berlinische Galerie........**1** D2
Checkpoint Charlie........**2** C1
Musée allemand des Techniques..............**3** A3
Aéroport de Tempelhof **4** B6
Musée du Mur-Haus am Checkpoint Charlie **5** C1
Musée juif......................**6** C2
Mémorial du Pont aérien **7** B6
Marheineke Markthalle **8** C5
Martin-Gropius-Bau **9** B1
Musée Ramones..........**10** C5
Musée de l'Homosexualité..........**11** B4
Tronçon du Mur...........**12** B1
Spectrum.....................**13** A3
Topographie des Terrors................(voir **12**)

SHOPPING

Another Country **14** C5
Bagage **15** C5
Space Hall....................**16** C5

SE RESTAURER

Austria.........................**17** C5
Curry 36.......................**18** B4
ETA Hoffmann **19** B4

PRENDRE UN VERRE

Café Melitta Sundström................(voir **11**)
Golgatha.......................**20** A5
Solar **21** B2

SORTIR

Columbiahalle.............22 C6
English Theatre Berlin.23 B5
Schwuz ....(voir **11**)

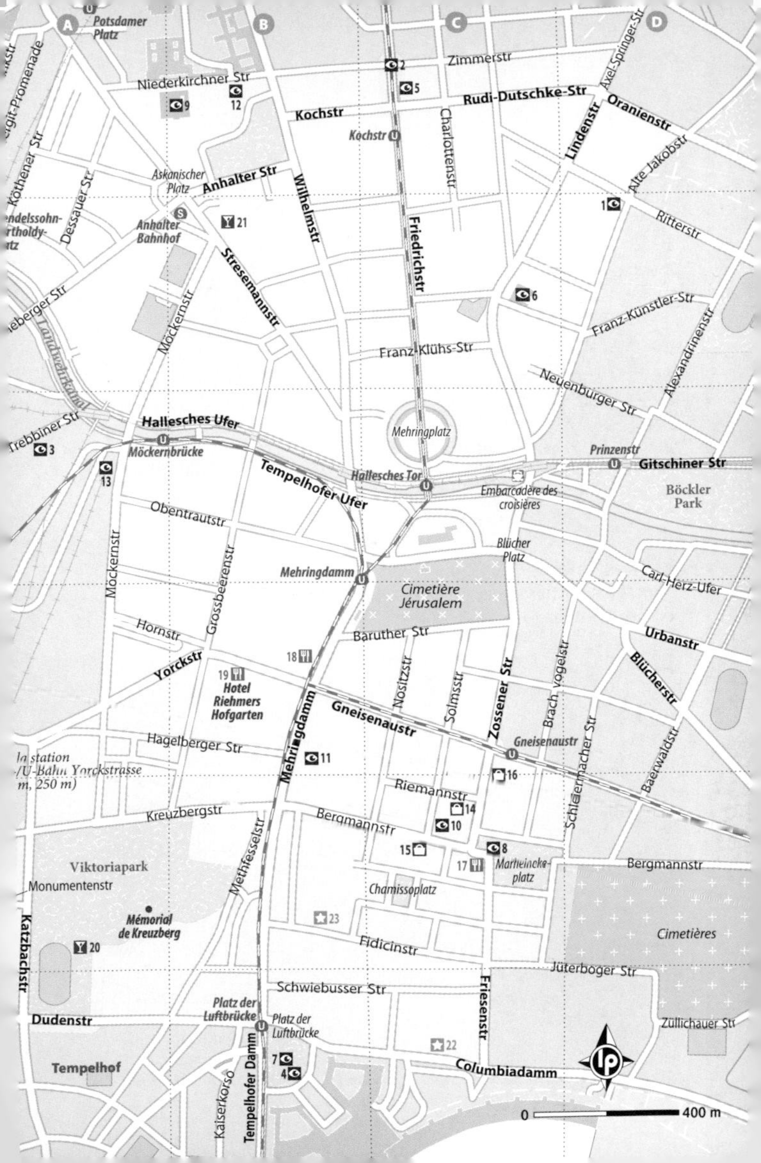

A
B
C
D
Potsdamer Platz
Niederkirchner Str
Zimmerstr
Kochstr
Rudi-Dutschke-Str
Oranienstr
Axel-Springer-Str
Charlottenstr
Lindenstr
Alte Jakobstr
Ritterstr
Askanischer Platz
Anhalter Str
Anhalter Bahnhof
Wilhelmstr
Friedrichstr
Stresemannstr
Köthener Str
Dessauer Str
Möckernstr
Franz-Künstler-Str
Alexandrinenstr
Franz-Klühs-Str
Neuenburger Str
Landwehrkanal
Trebbiner Str
Hallesches Ufer
Möckernbrücke
Mehringplatz
Hallesches Tor
Prinzenstr
Gitschiner Str
Böckler Park
Tempelhofer Ufer
Embarcadère des croisières
Obentrautstr
Blücher Platz
Mehringdamm
Cimetière Jérusalem
Carl-Herz-Ufer
Hornstr
Baruther Str
Urbanstr
Yorckstr
Hotel Riehmers Hofgarten
Nositzstr
Solmsstr
Zossener Str
Brachvogelstr
Blücherstr
Gneisenaustr
Schleiermacher Str
Baerwaldstr
Hagelberger Str
Riemannstr
Kreuzbergstr
Bergmannstr
Methfesselstr
Marheinekeplatz
Viktoriapark
Monumentenstr
Chamissoplatz
Mémorial de Kreuzberg
Cimetières
Fidicinstr
Katzbachstr
Jüterboger Str
Schwiebusser Str
Friesenstr
Platz der Luftbrücke
Dudenstr
Züllichauer Str
Tempelhof
Columbiadamm
Kaiserkorso
Tempelhofer Damm
0
400 m

VOIR

BERGMANNSTRASSE

Gneisenausstrasse

La Bergmannstrasse (C5), entre le Mehringdamm et la Marheinekeplatz (hébergeant un marché couvert), qui s'étend au cœur de la partie ouest de Kreuzberg, est une artère distrayante pleine de magasins, de restaurants, de cafés et de bars qui donnent une bonne idée de l'esprit bohème et multiculturel du quartier.

BERLINISCHE GALERIE

7890 2600 ; www.berlinischegalerie.de ; Alte Jakobstrasse 124-128 ; tarif plein/réduit 6-3 € ; moins de 18 ans gratuit ; 10h-18h mer-lun ; Kochstrasse ;

Située dans un ancien entrepôt vitré, cette galerie fait de Berlin un des hauts lieux de l'art contemporain dans le monde. Sur deux étages, ingénieusement reliés par une paire d'escaliers flottants, tous les grands mouvements artistiques depuis la fin du XIXe siècle sont représentés, notamment la sécession berlinoise, les mouvements dada et Fluxus, l'expressionnisme, la nouvelle objectivité et les nouveaux fauves.

CHECKPOINT CHARLIE

angle Friedrichstrasse et Zimmerstrasse ; Kochstrasse

Symbole de la guerre froide, Checkpoint Charlie constituait la principale porte d'accès pour les Alliés, étrangers et diplomates

Checkpoint Charlie – plus de Mur ni de fils de fer barbelés, rien que des chapeaux

LE PONT AÉRIEN DE BERLIN

Le pont aérien de Berlin représente le triomphe de la détermination. Le 24 juin 1948, pour prendre le contrôle de la ville, les Soviétiques coupèrent toutes les lignes de chemin de fer et les routes vers Berlin afin de forcer les Alliés occidentaux à abandonner leurs secteurs. Les militaires britanniques et américains répondirent en envoyant nourriture, pétrole et autres provisions dans le secteur ouest de la ville chaque jour pendant onze mois. Quand le blocus prit fin, les militaires avaient accompli 278 000 vols (l'équivalent de 250 voyages de la Lune à la Terre), et avaient livré 2,5 millions de tonnes de marchandises. Le mémorial du Pont aérien (Luftbrückendenkmal) à l'extérieur de l'aéroport de Tempelhof rend hommage à leur courage.

en transit entre les deux parties de Berlin de 1961 à 1990. Les autorités ont partiellement reconstruit Checkpoint Charlie : un corps de garde de l'armée américaine s'y dresse, de même qu'une réplique du célèbre panneau "Vous quittez à présent le secteur américain".

MUSÉE ALLEMAND DES DES TECHNIQUES

Deutsches Technikmuseum ; ☎ 902 540 ; www.dtmb.de ; Trebbiner Strasse 9 ; tarif plein/réduit 4,50/2,50 € ; 9h-17h30 mar-ven, 10h-18h sam et dim ; Möckernbrücke ;

Fantastique pour les enfant, ce gigantesque temple de la technologie conserve le premier ordinateur du monde. Une salle entière est consacrée aux locomotives célèbres, mais l'aviation et la navigation en sont aussi les attractions principales. Dans le **Spectrum** voisin (accessible par le n° 26 de la Möckernstrasse ; entrée comprise dans le billet du musée), vous pourrez participer à plus de 200 expériences interactives.

AÉROPORT DE TEMPELHOF

Flughafen Tempelhof ; Platz der Luftbrücke ; Platz der Luftbrücke

Construit par les nazis, cet aéroport serait le plus grand bâtiment du monde après le Pentagone. Ses liens avec l'aviation remontent à 1909 lorsqu'Orville Wright bat le record du monde à bord de son appareil en s'élevant à 172 m au-dessus du niveau du sol. Tempelhof a connu son heure de gloire pendant le pont aérien de Berlin en 1948 (voir ci-dessus).

MUSÉE DU MUR – HAUS AM CHECKPOINT CHARLIE

Haus Am Checkpoint Charlie – Mauermuseum ; ☎ 253 7250 ; www.mauermuseum.de ; Friedrichstrasse 43-45 ; tarif plein/réduit 9,50/5,50 € ; 9h-22h ; Kochstrasse

Ce musée privé dresse une chronique intéressante des années de la guerre froide, en soulignant les horreurs liées à l'histoire du Mur. On est captivé par les trésors d'ingéniosité que développèrent les citoyens de la RDA pour s'enfuir vers l'ouest : montgolfières, tunnels, compartiments secrets d'une voiture et même un sous-marin à une place.

MUSÉE JUIF

Jüdisches Museum ; 2599 3300 ; www.juedisches-museum-berlin.de ; Lindenstrasse 9-14 ; tarif plein/réduit 5/2,50 € ; famille 10 € ; 10h-22h lun, 10h-20h mar-dim ; Hallesches Tor ;

Ce vaste musée dresse une chronique de l'histoire juive en Allemagne et détaille l'apport de la communauté dans les domaines culturels, artistiques et scientifiques. Son architecture par Daniel Libeskind. est spectaculaire (voir p. 18).

MARTIN-GROPIUS-BAU

254 860 ; www.gropiusbau.de ; Niederkirchner Strasse 7 ; habituellement 10h-20h mer-lun ; Potsdamer Platz ;

Imaginé par le grand-oncle de Walter Gropius, ce musée grandiose, inspiré des palais italiens de la Renaissance, accueille souvent de gigantesques expositions itinérantes. Un petit tronçon du Mur s'étend vers l'est le long de la Niederkirchner Strasse. Le tarif varie selon les expositions.

MUSÉE RAMONES

www.ramonesmuseum.com ; Solmsstrasse 30 ; entrée 2 € ; 12h-18h sam et dim ; Gneisenaustrasse

Ce musée est un "sanctuaire" à la mémoire des Ramones, groupe de punk américain des années 1970 et 1980, grâce à un fan, Florian Hayler. Sa collection de souvenirs comporte des disques dédicacés, les baguettes de Marky R., le jean de Johnny R., etc.

MUSÉE DE L'HOMOSEXUALITÉ

Schwules Museum ; 693 1172 ; www.schwulesmuseum.de en allemand ; Mehringdamm 61 ; tarif plein/réduit 3/5 € ; 14h-18h mer-lun, 14h-19h sam ; Mehringdamm

Cette structure à but non lucratif est à la fois un musée, un centre de recherche et un pôle communautaire. Sa collection permanente vous renseigne sur l'histoire gay de Berlin ; les expositions présentent souvent de grandes icônes. L'entrée est à l'arrière du Café Melitta Sundström.

TOPOGRAPHIE DES TERRORS

2548 6703 ; www.topographie.de ; Niederkirchner Strasse 8 ; entrée gratuite ; 10h-20h mai-sept, 10h-coucher du soleil oct-avr ; Potsdamer Platz

La "topographie de la terreur" est une poignante exposition de plein air, il va sans dire lugubre puisqu'elle occupe l'ancien quartier général de la Gestapo et d'autres institutions nazies. Des panneaux en allemand racontent les tortures perpétrées par ces impitoyables organisations.

SHOPPING

Rendez-vous est donné aux amateurs de musique et de mode le long du Mehringdamm, ainsi que de la Bergmannstrasse et de la Zossener Strasse.

ANOTHER COUNTRY *Livres*

6940 1160 ; www.anothercountry.de ; Riemannstrasse 7 ; 11h-20h lun-ven, 11h-16h sam ; Gneisenaustrasse

À la fois librairie anglaise, bibliothèque et rendez-vous bohème, Another Country est plus qu'un autre pays, c'est une autre planète, surtout une fois que vous aurez rencontré Alan, le gérant anglais, obsédé par la science-fiction. Elle accueille des événements culturels, comme la soirée cinéma du mardi. Détails sur le site.

BAGAGE *Sacs*

693 8916 ; Bergmannstrasse 13 ; 11h-20h lun-ven, 10h-17h sam ; Gneisenaustrasse

Loin d'être un simple objet pratique, le sac est, à Berlin, l'affirmation d'un style de vie. Ici sont rassemblés les derniers modèles de grandes marques, de toutes formes, couleurs et tailles. Le détonant Kultbag est réalisé à partir de matériaux originaux : toile goudronnée, matelas pneumatiques, sac postaux.

SPACE HALL *Musique*

694 7664 ; www.space-hall.de ; Zossener Strasse 33 ; 11h-20h lun-ven, 11h-16h sam ; Gneisenaustrasse

C'est un paradis pour les fans de musique électronique : le sous-sol est rempli de disques de techno, drum'n'bass, breakbeat et trance.

Venez écoutez toute sorte de musique électronique sur les platines du Space Hall

Le rez-de-chaussée est plus hétéroclite, du punk à la variété, et l'étage est consacré à la house.

SE RESTAURER

Vous trouverez nombre de cafés et de petits restaurants pas chers le long du Mehringdamm, de la Bergmannstrasse et autour de Marheinekeplatz.

AUSTRIA *Autrichien* €€-€€€

☎ 694 4440 ; Bergmannstrasse 30 ; plats 13-18 € ; à partir de 18h ; Gneisenaustrasse

Cet établissement ressemble à un pavillon de chasse façon Hollywood. Cliché mis à part, le *Schnitzel* mérite un oscar. Le plat du jour du jeudi, le cochon de lait, attire une foule de dévots.

Boutiques pour gourmets dans la Bergmannstrasse

CURRY 36 *Allemand* €

☎ 251 7368 ; Mehringdamm 36 ; 9h-4h lun-sam, 11h-3h dim ; Mehringdamm

Le service laisse à désirer, mais cet *Imbiss* (snack-bar), prépare les *Currywurst* parmi les meilleures de Berlin : sauce maison et saucisses goûteuses. La longue queue à toute heure du jour ne trompe pas.

ETA HOFFMANN *Français* €€-€€€

☎ 7809 8809 ; www.restaurant-e-t-a-hoffmann.de en allemand ; Hotel Riehmers Hofgarten, Yorckstrasse 83 ; à partir de 17h mer-dim ; Mehringdamm

Thomas Kurt aime voir ses tables pleines et cuisine en conséquence des plats raffinés inspirés de bons ingrédients, en outre à la portée de toutes les bourses : le menu de 3 plats ne coûte que 29 €. C'est presque donné si l'on considère la qualité, le talent et la créativité qui entrent dans chaque plat. Sa terrine de foie gras de canard est un classique. Réservez.

PRENDRE UN VERRE

GOLGATHA *Biergarten*

☎ 785 2453 ; www.golgatha-berlin.de en allemand ; Viktoriapark ; 10h-6h avr-sept ; Yorckstrasse

Le pélerinage à ce *Biergarten* du Viktoriapark est un plaisant rituel de l'été. Asseyez-vous confortablement devant une chope mousseuse et des grillades, puis pourquoi ne pas rester danser ? Le DJ arrive à 22h, faisant résonner le jardin des éclats du rock et de la pop. Entrez dans le parc par la porte à l'angle de la Katzbachstrasse et de la Monumentenstrasse.

SOLAR *Bar*

☎ 0162-765 2700 ; www.solar-berlin.de ; Stresemannstrasse 76 ; 18h-2h dim-jeu, 18h-4h ven et sam ; Anhalter Bahnhof
La nourriture est trop chère et les cocktails passables mais la vue, à couper le souffle, vaut la peine de grimper dans l'ascenseur de verre extérieur qui monte au 17e étage, où se trouve ce lounge à la fois rétro et futuriste. Si vous êtes prêt au voyage, vous trouverez l'entrée en retrait de la rue dans un pâté de hautes tours derrière le garage Pit Stop.

SORTIR

ENGLISH THEATRE BERLIN
Théâtre

☎ 691 1211 ; www.thefriends.de ; Fidicinstrasse 40 ; places 14 € ; Platz der Luftbrücke
La plus ancienne troupe de théâtre de langue anglaise à Berlin. Connue à l'origine sous le nom de"Friends of Italian Opera", elle s'est spécialisée dans les pièces contemporaines.

SCHWUZ *Club gay*

☎ 629 0880 ; www.schwuz.de en allemand ; Mehringdamm 61 ; entrée 3-8 € ; ven et sam ; Mehringdamm
Les samedis et dimanches soirs, gays et lesbiennes prennent des forces au Café Sundström avant de se précipiter dans ce club en sous-sol pour danser follement. Au programme : tubs rétro, musique alternative, ou classiques du rock. Le quatrième vendredi du mois, la L-Tunes est réservée aux lesbiennes.

LES ARÈNES DES STARS

Des Killers et Nelly Furtado à Robbie Williams, quand les stars internationales de la musique se produisent à Berlin, il y a fort à parier qu'elles chaufferont à blanc l'un de ces établissements :
> **Arena** (carte p. 101, F3 ; ☎ 533 2030 ; www.arena-berlin.de en allemand ; Eichenstrasse 4, Kreuzberg ; Schlesisches Tor).
> **Columbiahalle** (C6 ; ☎ 698 0980 ; www.columbiahalle.de ; Columbiadamm 13-21, Kreuzberg ; Platz der Luftbrücke).
> **Max-Schmeling-Halle** (carte p. 89, A2 ; ☎ 443 045 ; www.max-schmeling-halle.de en allemand ; Am Falkplatz, Prenzlauer Berg ; Eberswalder Strasse).
> **Olympiastadion** (☎ 254 6900 ; www.olympiastadion-berlin.de ; Olympischer Platz 3, Charlottenburg ; Olympiastadion).

>FRIEDRICHSHAIN

Friedrichshain dégage un charme bien particulier. Contrairement à Mitte et à Prenzlauer Berg, cet ancien quartier ouvrier affiche la même énergie que dans les années qui suivirent la réunification. Parsemé de ruines industrielles et de HLM héritées de l'ère socialiste, Friedrichshain pourrait même être épargné par l'embourgeoisement ambiant. Certains espaces de ce quartier semblent particulièrement attirants, comme le Volkspark Friedrichshain, les environs de la Boxhagener Platz, débordants de vie la nuit, et le fantasque Oberbaumbrücke, où Universal Music a installé son siège européen. Près de là, l'un des stades omnisports les plus beaux d'Europe, l'O2 World Arena, dévoile une silhouette futuriste et devrait accueillir fin 2008 des concerts, des matchs de hockey sur glace, ainsi que d'autres événements.

Les sites touristiques de Friedrichshain se limitent à l'East Side Gallery, qui correspond au plus long pan restant du mur de Berlin, et à la Karl-Marx-Allee, summum de l'ostentation staliniste. Pour peu que l'on creuse un peu, on découvre cependant une communauté artistique naissante, des lieux underground (clubs, bars, restaurants, galeries d'art) et la promesse d'un avenir excitant.

FRIEDRICHSHAIN

VOIR

- Café Sybille **1** C1
- East Side Gallery **2** B3
- Oberbaumbrücke **3** D4

SHOPPING

- Altes Textilkaufhaus **4** F2
- Dazu **5** E2
- Flohmarkt am Boxhagener Platz **6** E2
- Intershop 2000 .... **7** D4
- Prachtmädchen **8** E3

SE RESTAURER

- Café 100Wasser **9** E2
- Miseria & Nobiltà **10** E2
- Papaya **11** E2
- Schneeweiss **12** E3
- Umspannwerk Ost **13** C1

PRENDRE UN VERRE

- Astro Bar **14** E2
- Bar 25 .... **15** A2
- CSA **16** C1
- Floating Lounge **17** C4
- Habermeyer **18** E3
- Künstliche Beatmung **19** E3
- Oststrand **20** C3
- Sanatorium 23 .... **21** E1

SORTIR

- Berghain/ Panoramabar 22 C2
- Cassiopeia 23 E3
- Maria am Ostbahnhof 24 B2
- Radialsystem V 25 B2
- Raumklang 26 E2

Vers le Volkspark Friedrichshain (700 m) ; le Geburstag Klub (1 km)
la Stasi (5 km)
Vers la station d'U-Bahn Samariterstr (400 m) ; le Berlinomat (500 m) ; le musée de la Stasi (2 km)
Vers la sculpture du Molecule Man (600 m)
Karl-Marx-Allee
Strausberger Platz
Weberwiese
Weidenweg
Rigaer Str
Schreinerstr
Proskauer Str
Porte de Francfort
Frankfurter Tor
Frankfurter Allee
Lichtenberger Str
Holzmarkstr
Krautstr
Andreasstr
Koppenstr
Rüdersdorfer
Strasse der Pariser Kommune
Franz-Mehring Platz
Rüdersdorfer Str
Marchlewskistr
Kadiner Str
Boxhagener Str
Niederbarnimstr
Grünberger Str
Gärtnerstr
Am Wriezener Bahnhof
Corneliusplatz
Gubener Str
Warschauer Str
Kopernikusstr
Boxhagener Platz
Krossener Str
Simon-Dach-Str
Wühlischstr
Libauer Str
Simplonstr
Helsingforser Str
Helsingforser Platz
Revaler Str
B96a
Warschauer Str
Michaelkirchstr
Am Ostbahnhof
Ostbahnhof
Stralauer Platz
Köpenicker Str
Schillingbrücke
East Side Gallery
Spree
Mühlenstr
Adalbertstr
Melchiorstr
Engeldamm
Bethaniendamm
Wrangelstr
Pücklerstr
Eisenbahnstr
Warschauer Platz
Warschauer Str
Rudolfstr
Rotherstr
Rudolfplatz
Ehrenbergstr
Modersohnstr
Stralauer Allee
Waldemarstr
Manteuffelstr
Zeughofstr
Köpenicker Str
Oberbaumbrücke
Am Oberbaum
Corinthstr
Heinrich Platz
Naunynstr
Muskauer Str
Schlesisches Tor
Oranienstr
0
400 m

VOIR

EAST SIDE GALLERY

www.eastsidegallery.com ; Mühlenstrasse ; gratuit ; 24h/24 ; Ostbahnhof

Entre l'Oberbaumbrücke et l'Ostbahnhof, c'est le tronçon le plus long, le mieux préservé et le plus intéressant du tristement célèbre mur de Berlin. Parallèle à la Spree, ce pan d'1,3 km de long est devenu une galerie en plein air en 1990. Les œuvres les plus attractives se trouvent près de l'extrémité de l'Ostbahnhof. Vous prendrez de plus jolies photos le matin. Voir aussi p. 16.

KARL-MARX-ALLEE

Karl-Marx-Blvd ; Strausberger Platz, Weberwiese, Frankfurter Tor

Édifié entre 1950 et 1963, ce vaste boulevard (C1), reliant l'Alexanderplatz et la porte de Francfort, était bordé de logements où vivaient des milliers de personnes et voyait défiler les parades militaires du temps de la RDA. Cette

L'art et les graffitis se rencontrent à l'East Side Gallery, le plus long tronçon restant du mur de Berlin

RENCONTRE AVEC LA STASI

Quiconque s'intéressant à la RDA, et en particulier à la Stasi, se doit de faire un détour par ces deux lieux sinistres. L'ancien siège du ministère de la Sécurité d'État abrite aujourd'hui le **musée de la Stasi** (☎ 553 6854 ; www.stasimuseum.de ; Maison 1, Ruschestrasse 103 ; tarif plein/réduit 3,50-3 € ; 11h-18h lun-ven, 14h-18h sam et dim ; Magdalenenstrasse). Y sont exposés des accessoires de surveillance étonnamment rudimentaires (dissimulés dans des arrosoirs, des rochers et même des cravates). Vous verrez aussi les bureaux d'origine du chef de la Stasi, Erich Mielke. Depuis la station d'U-Bahn, tournez à droite dans la Ruschestrasse, puis encore à droite environ 100 m plus loin dans un grand complexe d'immeubles, et continuer tout droit vers la Maison 1 (Haus 1).

Les victimes finissaient dans la **prison de la Stasi** (☎ 9860 8230 ; www.stiftung-hsh.de ; Genslerstrasse 66 ; visites guidées tarif plein/réduit 3-1,50 €, gratuit lun ; visites 11h, 13h et 15h lun-ven, toutes les heures 10h-16h sam et dim ; M5), aujourd'hui transformée en musée. Prendre le tramway M5 jusqu'à Freienwalder Strasse, puis descendre la rue : l'édifice est à 10 min de marche. La visite du complexe, parfois conduite par des anciens détenus, révèle la cruauté du traitement que la Stasi réservait à des milliers de personnes, souvent innocentes. Si vous avez vu le film *La Vie des autres*, récompensé par un Oscar, vous reconnaîtrez de nombreux éléments du décor.

fascinante vitrine de l'architecture socialiste se découvre mieux à pied, depuis la Strausberger Platz. Le site est jalonné de panneaux d'information ; l'exposition du Café Sybille, au n°72, revient aussi sur l'historique des lieux.

OBERBAUMBRÜCKE

Warschauer Strasse, Schlesisches Tor, Warschauer Strasse

Reliant Kreuzberg et Friedrichshain en enjambant la Spree, ce pont est le plus joli de Berlin ; ses tourelles, ses murs à créneaux et ses arches lui confèrent un air médiéval. Vers le sud, on aperçoit une piscine flottante (Badeschiff, p. 108) et le *Molecule Man*, sculpture d'aluminium géante de Jonathan Borofsky.

VOLKSPARK FRIEDRICHSHAIN

Am Friedrichshain et Friedenstrasse ; 200

Ce parc public, havre de paix au cœur de la ville, est le plus ancien de Berlin (1840). Entre ses vastes pelouses se cachent des aires de jeux, des cours de tennis, une demi-lune de skate gratuite, l'adorable fontaine des Contes de fées (Märchenbrunnen, très appréciée des gays) et un certain nombre de monuments socialistes. Les deux collines sont en fait des tas de débris de la guerre ; la plus haute est surnommée "Mont Klamott". L'été, la foule afflue pour assister aux projections de films en plein air.

SHOPPING

La mode grunge qui dominait naguère à Friedrichshain disparaît, sans pour autant que le quartier perde de son originalité. Il n'est certes pas un paradis du shopping, mais recèle toutefois quelques magasins intéressants, notamment sur la Wühlischstrasse.

ALTES TEXTILKAUFHAUS

Mode et accessoires

2903 8568 ; www.altestextilkaufhaus.de en allemand ; Boxhagener Strasse 93 ; 11h-19h lun-ven, 11h-15h sam ; Samariterstrasse

Ce grand magasin alternatif rassemble une dizaine de studios/boutiques miniatures tenus par des créateurs et des artistes. Les confections vont du plus fantasque au plus pratique : vêtements, pantoufles en feutre, bijoux en pierre, œuvres d'art, jouets, lampes et autres bibelots.

BERLINOMAT

Mode et accessoires

4208 1445 ; www.berlinomat.com en allemand ; Frankfurter Allee 89 ; 11h-20h lun-ven, 10h-18h sam ; Frankfurter Allee

Ce mini-centre commercial expose les articles d'environ 150 créateurs berlinois : mode, accessoires, meubles et bijoux. Sur fond de sons électros, c'est l'endroit idéal où chiner des jeans de chez Hasipop, des baskets aux allures est-allemandes de chez Zeha, des sacoches de chez MilkBerlin et d'autres articles branchés.

DAZU *Sacs*

4431 0600 ; www.ichichich-berlin.de ; Kopernikusstrasse 14 ; 16h-20h jeu-ven, 12h-16h sam ou sur rendez-vous ; Warschauer Strasse

Les sacoches de Lui Gerdes combinent toile de bâche et fourrure, tissus, radiographies et autres matériaux excentriques. Chaque pièce est unique et vous pouvez même lui demandez de personnaliser le vôtre. Prix entre 80 € et 100 €.

FLOHMARKT AM BOXHAGENER PLATZ

Marché aux puces

Boxhagener Platz ; 9h-16h dim ; Warschauer Strasse, Frankfurter Tor, Warschauer Strasse

Ce marché aux puces compte trop de professionnels à notre goût : ouvrez l'œil et le bon si vous voulez dénicher une affaire. La chasse au trésor s'achèvera avec un café ou un petit déjeuner au café voisin.

INTERSHOP 2000

Cadeaux et souvenirs

3180 0364 ; www.ddr-mitropa.de en allemand ; Ehrenbergstrasse 3-7 ; 14h-20h mer-ven, 12h-18h sam et dim ; Warschauer Strasse

Souvenirs d'un monde qui n'est plus... Cet étrange magasin-dépôt vend des objets du quotidien qui étaient fabriqués en RDA. Vous trouverez ainsi des coquetiers en forme de poule, des serviettes rafraîchissantes de la compagnie aérienne Interflug, des drapeaux et des pins's.

PRACHTMÄDCHEN

Mode

9700 2780 ; www.prachtmaedchen.de en allemand ; Wühlischstrasse 28 ; 11h-20h lun-ven, jusqu'à 16h sam ; Warschauer Strasse

Pia et Pernille proposent à prix doux des tenues Emily the Strange, du linge Blutsgeschwister, des sous-vêtements Pussy Deluxe et d'autres articles de marque, souvent d'enseignes berlinoises.

SE RESTAURER

Les gourmets les plus exigeants éviteront Friedrichshain.
En revanche, le dimanche, la Simon-Dach-Strasse et les rues adjacentes regorgent de buffets bon marché à volonté.

CAFÉ 100WASSER

Café €-€€

2900 1356 ; www.café-100-wasser.de ; Simon-Dach-Strasse 39 ; à partir de 10h ; Warschauer Strasse

Le dimanche, jusque tard dans l'après-midi, une foule de clients prend d'assaut ce café et savoure ce qui se révèle être l'un des meilleurs buffets de brunch du quartier, or il y a compétition dans Friedrichshain.

Les fondues d'Emily the Strange, de Blutsgeschwister et de Pussy Deluxe dévaliseront la boutique Prachtmädchen

MISERIA & NOBILTÀ

Italien €€-€€€

☎ 2904 9249 ; fax 2936 2995 ; Kopernikusstrasse 16 ; 17h-minuit mar-dim ; Warschauer Strasse

Lorsqu'Eduardo Scarpetta créa sa comédie *Poverty and Nobility* en 1888, il ignorait que son titre inspirerait cette trattoria familiale. Accueil gracieux des propriétaires et copieux plats du sud de l'Italie, renouvelés tous les jours, pour une ambiance "noble".

PAPAYA *Thaïlandais* €€

☎ 2977 1231 ; fax 2935 1985 ; Krossener Strasse 11 ; 12h-minuit ; Warschauer Strasse

La lumière est un peu aveuglante dans ce restaurant minimaliste et plein d'animation, mais cela aide à apprécier les plats joliment présentés, préparés dans une cuisine ouverte. À tester : les soupes épicées au *tom ka*, les nouilles relevées au *pad* et l'appétissant poulet au basilic thaï.

SCHNEEWEISS

Allemand €€-€€€

☎ 2904 9704 ; fax 2904 9705 ; Simplonstrasse 16 ; 10h-1h ; Warschauer Strasse

Le restaurant le plus élégant de Friedrichshain est fréquenté par une clientèle branchée. L'inspiration alpine ne se retrouve pas seulement dans le décor chic glacé (repérez l'incroyable chandelier arctique), mais aussi dans la cuisine : le chef revisite surtout des classiques du sud de l'Allemagne comme le *Schnitzel*, le gibier rôti et la truite grillée.

UMSPANNWERK OST

International €€

☎ 4208 9323 ; www.umspannwerk-ost.de en allemand ; Palisadenstrasse 48 ; 11h30-minuit ; Weberwiese

Occupant un bel édifice du XIXe siècle, le restaurant partage les lieux avec un théâtre et une salle de jazz. Des plats classiques pour satisfaire tous les palais : pâtes, agneau au romarin, et filet de porc. Dîner-spectacle 32 €.

Préparez-vous à un embarquement immédiat au CSA

PRENDRE UN VERRE

Amateurs de bars peu chers et d'une musique qui fait du bruit, la Simon-Dach-Strasse n'attend que vous. En revanche, si vous préférez les adresses plus élégantes, dirigez-vous plus bas, sur le bord de la rivière, ainsi que dans la Karl-Marx-Allee.

ASTRO BAR *Bar*

www.astro-bar.de ; Simon-Dach-Strasse 40 ; à partir de 20h ; Frankfurter Tor

Le Tout-Berlin branché et autres spationautes se retrouvent à l'Astro bar autour des cocktails à petit prix. Les conversations se prolongent souvent jusqu'au petit matin.

BAR 25 *Bar-club-restaurant*

www.bar25.de en allemand ; Holzmarktstrasse 25 ; à partir de 12h mai-sept ; Jannowitzbrücke

Ce ranch n'hésite pas à mélanger les genres avec son saloon kitsch, son restaurant aux chandelles, son cinéma en plein air et son club techno-house le week-end. Une excellente adresse pour faire la fête (il y a même des bungalows si vous voulez faire une pause).

CSA *Bar*

2904 4741 ; www.csa-bar.de ; Karl-Marx-Allee 96 ; à partir de 20h mai-oct, 19h nov-avr ; Weberwiese

Le bar le plus chic de Friedrichshain a élu domicile dans les bureaux de l'ancienne ligne aérienne tchèque. Les cocktails sont relevés, les sculptures étranges, et le ton semble comme joyeusement et ironiquement ex-soviétique.

FLOATING LOUNGE *Bar*

6676 3806 ; www.eastern-comfort.de ; Mühlenstrasse 73-77 ; à partir de 14h mar-sam, de 11h dim ; Warschauer Strasse

Rendez-vous dans ce salon rétro de l'Eastern Comfort Hostel Boat au coucher du soleil pour une mousse bien fraîche et une vue splendide sur le pont Oberbaumbrücke illuminé des couleurs du soir. Ce bar possède un charme typiquement berlinois.

UNE TOUR DE BABEL À BERLIN

Le mercredi soir, le Floating Lounge (ci-dessus) accueille une soirée dédiée aux langues, où des Allemands pratiquent leur anglais avec des expatriés ou des visiteurs anglophones. C'est une excellente occasion de rencontrer des Berlinois en sirotant une bière et en savourant l'houmous de Charles, l'hôte de la soirée. Il y a beaucoup d'habitués, mais l'ambiance est amicale et accueillante. L'entrée coûte 1 €. Consultez aussi le site de Charles, www.english-events-in-berlin.de, pour connaître les dernières nouvelles et les soirées spéciales.

HABERMEYER *Bar*

2977 1887 ; www.habermeyer-bar.de ; Gärtnerstrasse 6 ; à partir de 19h ; Warschauer Strasse

Inutile de venir à l'Habermeyer pour voir et être vu : il y fait franchement beaucoup trop sombre. Vous apprécierez plutôt le mobilier RDA, le flipper, la déco maison et l'ambiance chaleureuse. Ne partez pas sans voir la grotte au fond. Les DJ changent tous les soirs.

KÜNSTLICHE BEATMUNG *Bar*

2944 9463 ; Simon-Dach-Strasse 20 ; à partir de 19h ; Warschauer Strasse

Situé dans la partie plus paisible de la Simon-Dach-Strasse, ce bar joue à fond la carte rétro. La déco est psychédélique et le tunnel blanc évoque l'intérieur d'une baleine. Les cocktails sont abordables, le service est attentionné et la musique électro, très douce. Reste à expliquer son nom, "respiration artificielle"...

OSTSTRAND *Bar de plage*

www.oststrand.de en allemand ; Mühlenstrasse, Rummelsburger Platz ; à partir de 10h ; Ostbahnhof

Le meilleur endroit pour boire un verre les pieds dans le sable. Ce sympathique bar de plage borde la Spree près de l'East Side Gallery, à mi-chemin entre l'Oberbaumbrücke et l'Ostbahnhof.

SANATORIUM 23 *Bar*

4202 1193 ; www.sanatorium23.de en allemand ; Frankfurter Allee 23 ; à partir de 14h ; Frankfurter Tor

Ce "sanatorium" vous guérira de tous vos maux, dans une atmosphère pop art et zen version clinique, bref assez déroutante... Mais les couchettes en cuir et les rideaux vaporeux lui confèrent une ambiance plutôt décontractée. Le week-end, les DJ animent la fête. Il y a même des chambres pour les couche-tard.

SORTIR

BERGHAIN/PANORAMABAR *Club*

www.berghain.de ; Am Wriezener Bahnhof ; entrée 10-12 € ; ven et sam ; Ostbahnhof

À l'image de l'ancienne centrale électrique qu'elle occupe, cette boîte est massive et industrielle, ce qui ne l'empêche pas de faire rêver : la déco, à mi-chemin entre *Metropolis* et *Blade Runner*, ravira les fans de S.-F. Le samedi, honneur à la techno-électro et à ses grands prêtres, comme André Galluzzi et Tama Sumo. Le vendredi, la fête bat son plein également, mais elle se cantonne au Panoramabar, à l'étage. Si la file d'attente s'allonge encore après 4h du matin, c'est parce que les clients restent jusqu'à l'après-midi suivant. Appareils photo interdits.

CASSIOPEIA *Club*

☎ 2936 2966 ; www.cassiopeia-berlin.de ; Revaler Strasse 99 ; entrée 4-6 € ; ven et sam ; Warschauer Strasse
Cet ancien atelier de locomotives s'est vu transformé en discothèque un peu grunge. La boîte se décline sur deux étages, et possède aussi un parcours de skate. La clientèle est aussi éclectique que la musique, qui va du vieux hip-hop au hard-funk et du reggae au punk. Les soirs d'ouverture varient, mais les portes sont toujours ouvertes les vendredis et samedis.

GEBURTSTAGSKLUB *Club*

☎ 4202 1405 ; www.geburtstagsklub.de en allemand ; Am Friedrichshain 33 ; entrée 5-10 € ; 200
Le lundi est consacré au reggae, tandis que la qualité varie le reste du temps, à l'exception de la soirée "Irrenhouse" présidée par l'inoubliable drag-queen Nina Queer, le 3e samedi du mois. L'entrée est gratuite le jour de votre anniversaire (présentez une pièce d'identité).

MARIA AM OSTBAHNHOF *Club*

☎ 2123 8190 ; www.clubmaria.de en allemand ; Stralauer Platz 33-34 ; entrée 5-10 € ; à partir de 22h ven et sam ; Ostbahnhof
Ce joli club près de la Spree attire de longue date des soirées house et techno, et parfois drum'n'bass. Les DJ comptent toujours parmi les meilleurs : mentionnons Marusha, Tanith, Mack from Tresor et Mijk van Dijk. Le programme comprend aussi des concerts. C'est ici que les Strokes ont donné leur unique concert en Allemagne en 2005.

RADIALSYSTEM V *Performances*

☎ 288 788 588 ; www.radialsystem.de en allemand ; Holzmarktstrasse 33 ; prix variable ; Ostbahnhof
À mi-chemin entre danse contemporaine et musique médiévale, entre poésie et sons pop, entre peinture et numérique, ce spectacle, qui a lieu dans une ancienne station de pompage au bord de la rivière, brouille les frontières entre arts de la scène, beaux-arts, nouvelles technologies et autres formes artistiques, au service d'une nouvelle expression créative.

RAUMKLANG *Club*

☎ 2930 9800 ; www.raumklang.de en allemand ; Libauer Strasse 1 ; entrée 3-8 € ; ven et sam ; Warschauer Strasse
Cette boîte conceptuelle s'enorgueillit de posséder une sono si haut de gamme qu'elle prévient les dommages auditifs à plein volume. Abusez donc de musique électronique, soul ou disco tout en ménageant vos tympans. Interdit aux moins de 21 ans.

>CHARLOTTENBURG

Ancien quartier phare de Berlin-Ouest, Charlottenburg a perdu de son attrait touristique depuis la réunification. La comparaison avec l'énergie des quartiers de l'Est n'est en effet guère flatteuse.

Berlin est en constante évolution. C'est ainsi que le Musée égyptien de Charlottenburg a perdu sa Néfertiti au profit de l'île des Musées et que le festival de cinéma Berlinale s'est implanté près de la Potsdamer Platz. Même la gare Zoologischer Garten (aussi appelée Bahnhof Zoo) a été rétrogradée et ne reçoit désormais que des trains régionaux, depuis que la toute neuve Hauptbahnhof a ouvert ses portes en 2006.

Pourtant, les atouts de Charlottenburg sont indéniables. Les fous de la mode arpenteront le Kurfürstendamm (Ku'damm pour les intimes) et les amateurs d'histoire admireront le château de Charlottenburg. Si tout se passe comme prévu, le quartier devrait bientôt se doter d'une grande roue géante de 180 mètres de haut, soit la moitié de la tour de la télévision. L'ouverture est prévue fin 2008, près de la Bahnhof Zoo.

CHARLOTTENBURG

VOIR

- Aquarium 1 F2
- Musée de l'Érotisme 2 E2
- Kaiser-Wilhelm-Gedächtniskirche 3 F2
- Musée Käthe-Kollwitz .. 4 D3
- Musée de la Photographie – collection Helmut-Newton 5 E2
- Story of Berlin 6 D3
- Zoo de Berlin – entrée Budapester Strasse 7 F2
- Zoo de Berlin – entrée Hardenbergplatz 8 E1

SHOPPING

- Confiserie Melanie 9 D1
- Galerie Michael Schultz 10 A2
- Glasklar 11 D1
- Harry Lehmann 12 A2
- Hautnah 13 D3
- Hugendubel 14 F2
- Stilwerk 15 D2

SE RESTAURER

- Café Wintergarten im Literaturhaus 16 D3
- Epoque 17 D2
- Jules Verne 18 C2
- Kuchi 19 C2
- Mar y Sol 20 D2
- Moon Thai 21 C2
- Mr Hai & Friends 22 D2

PRENDRE UN VERRE

- Gainsbourg - Bar Américain 23 D2
- Galerie Bremer 24 D4
- Schleusenkrug 25 F1
- Universum Lounge 26 A4

SORTIR

- A-Trane 27 C2
- Bar jeder Vernunft 28 E4
- Deutsche Oper Berlin ... 29 B1
- Quasimodo 30 E2

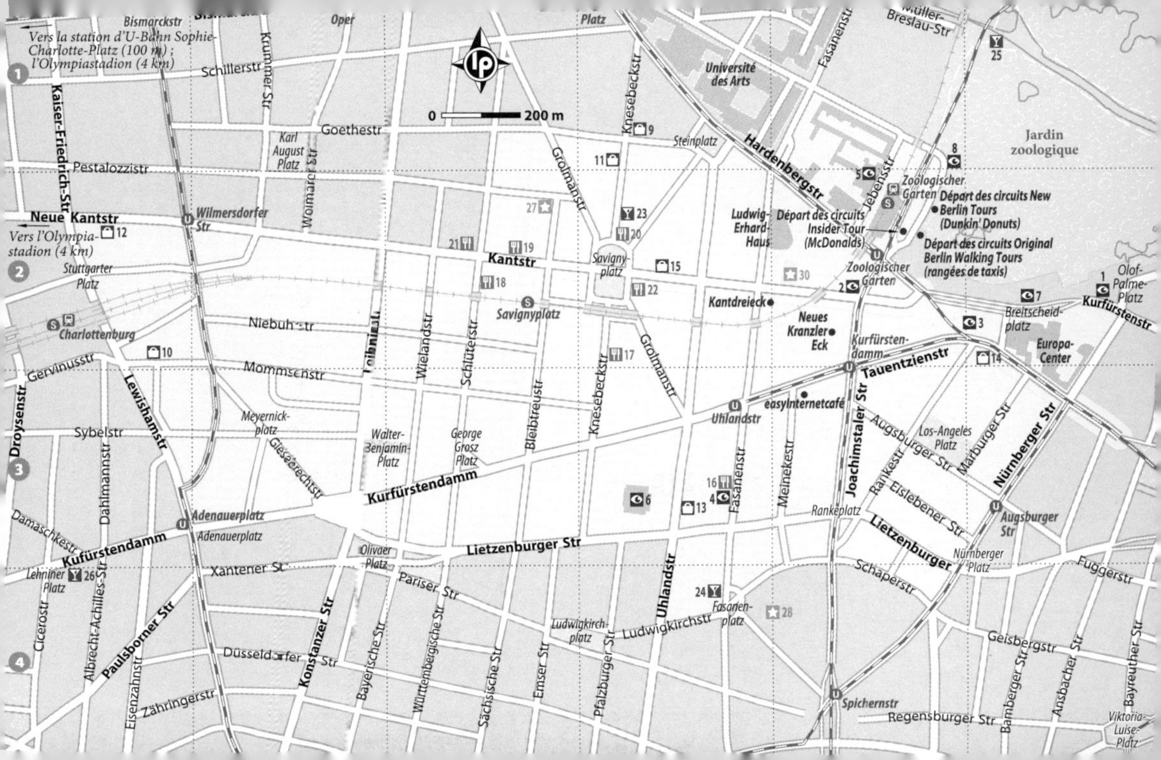

Vers la station d'U-Bahn Sophie-Charlotte-Platz (100 m) ; l'Olympiastadion (4 km)
Bismarckstr
Oper
Platz
Müller-Breslau-Str
Schillerstr
Krummer Str
Kaiser-Friedrich-Str
0
200 m
Université des Arts
Fasanenstr
Jardin zoologique
Knesebeckstr
Goethestr
Karl August Platz
Steinplatz
Hardenbergstr
Pestalozzistr
Grolmanstr
Jebensstr
Zoologischer Garten
Départ des circuits New Berlin Tours (Dunkin' Donuts)
Départ des circuits Insider Tour (McDonalds)
Départ des circuits Original Berlin Walking Tours (rangées de taxis)
Ludwig-Erhard-Haus
Neue Kantstr
Wilmersdorfer Str
Vers l'Olympia-stadion (4 km)
Kantstr
Savignyplatz
Stuttgarter Platz
Olof-Palme-Platz
Kurfürstenstr
Breitscheidplatz
Europa-Center
Kantdreieck
Neues Kranzler Eck
Charlottenburg
Kurfürstendamm
Tauentzienstr
Gervinusstr
Mommsenstr
Wielandstr
Schlüterstr
Bleibtreustr
Uhlandstr
easyInternetcafé
Joachimstaler Str
Droysenstr
Lewishamstr
Meyernickplatz
Sybelstr
Walter-Benjamin-Platz
George Grosz Platz
Augsburger Str
Los-Angeles Platz
Marburger Str
Nürnberger Str
Giesebrechtstr
Dahlmannstr
Rankestr
Eislebener Str
Fasanenstr
Meinekestr
Rankeplatz
Augsburger Str
Adenauerplatz
Damaschkestr
Lietzenburger Str
Lietzenburger
Nürnberger Platz
Olivaer Platz
Xantener Str
Lehniner Platz
Schaperstr
Fuggerstr
Pariser Str
Fasanenplatz
Ludwigkirchplatz
Ludwigkirchstr
Albrecht-Achilles-Str
Paulsborner Str
Cicerostr
Konstanzer Str
Bayerische Str
Württembergische Str
Sächsische Str
Emser Str
Pfalzburger Str
Geisbergstr
Bamberger Str
Ansbacher Str
Bayreuther Str
Düsseldorfer Str
Eisenzahnstr
Zähringerstr
Spichernstr
Regensburger Str
Viktoria-Luise-Platz

VOIR

MUSÉE DE L'ÉROTISME

Erotik Museum ; ☎ 886 0666 ; Joachimstaler Strasse 4 ; tarif plein/réduit 6/5 €, plus de 18 ans ; 9h-minuit ; Zoologischer Garten ;

Situé au beau milieu d'un quartier mal famé, ce musée rassemble sur trois niveaux des objets de tentation et de séduction, loufoques ou sophistiqués, grivois ou romantiques, et retrace l'histoire des plaisirs de la chair à travers les âges et dans le monde.

KAISER-WILHELM-GEDÄCHTNISKIRCHE

Église du Souvenir de l'empereur Guillaume Ier ; ☎ 218 5023 ; www.gedaechtniskirche-berlin.de ; Breitscheidplatz ; gratuit ; salle du mémorial 10h-16h lun-sam, salle du culte 9h-19h ; Kurfürstendamm ;

Ce qui reste de la tour de ce monument historique est aujourd'hui un mémorial contre la guerre ; digne et tranquille, elle se dresse au milieu de la circulation. Elle renferme une exposition de photographies historiques ; une salle octogonale moderne, ajoutée en 1961, est réservée au culte : baignée d'une intense lumière bleue, elle est dominée par un Christ doré géant suspendu au-dessus de l'autel.

MUSÉE KÄTHE-KOLLWITZ

☎ 882 5210 ; www.kaethe-kollwitz.de ; Fasanenstrasse 24 ; tarif plein/réduit 5/2,50 € ; 11h-18h mer-lun ; Uhlandstrasse

Ce ravissant musée est consacré à Käthe Kollwitz, l'une des plus grandes artistes allemandes. Les préoccupations sociales et politiques de son œuvre lui confèrent une aura tourmentée. Après qu'elle

UN OURS SUPERSTAR

À moins d'avoir vécu sur La lune, vous avez sûrement entendu parler de la dernière star du zoo de Berlin (p. 134), Knut (lire "knout"), premier ours blanc né au zoo depuis trente-trois ans (en décembre 2006). Rejeté par sa mère, ancienne star du cirque sous l'ancienne RDA, et soigné 24 heures/24 et 7 jours/7 par un gardien, le bébé n'a pas tardé à conquérir tous les cœurs. Même Annie Leibovitz est venue le photographier. Le zoo, dont le budget s'essoufflait depuis des années, a vu les visiteurs affluer ; les jouets estampillés Knut se vendent comme des petits pains et le prix des actions du zoo a plus que doublé. Knut n'est pas qu'une machine à sous : il est devenu l'ambassadeur de ses cousins de l'Arctique, dont l'habitat est menacé par le réchauffement planétaire, et même la mascotte d'une convention de l'ONU en 2008 sur la biodiversité. Malheureusement, Knut ne sera pas toujours aussi mignon : un mâle peut atteindre 800 kg !

EN VOITURE ! BERLIN EN BUS 100 ET 200

Les bus 100 et 200 constituent l'une des meilleures affaires de Berlin : ils desservent pratiquement tous les principaux sites du centre-ville, que vous pourrez ainsi parcourir pour le prix d'un billet de bus (2,10 €, forfait journalier 5,80 €).

Le bus 100 part de la gare Zoologischer Garten pour rejoindre l'Alexanderplatz, et passe par la Gedächtniskirche, le Tiergarten (et la colonne de la Victoire), le Reichstag, la porte de Brandebourg et Unter den Linden. Même départ pour le bus 200, qui se dirige vers le sud *via* le Kulturforum et la Potsdamer Platz avant de remonter vers Unter den Linden. Sans circulation, le voyage prend environ trente minutes. Ces bus sont souvent bondés : gare aux pickpockets...

eut perdu son fils et son petit-fils sur les champs de bataille, les thèmes de la mort et de la maternité devinrent récurrents. Voir aussi la Neue Wache (p. 49) et la Kollwitzplatz (p. 90).

MUSÉE DE LA PHOTOGRAPHIE – COLLECTION HELMUT-NEWTON

Museum für Fotografie – Helmut Newton Sammlung ; ☎ 3186 4825 ; Jebensstrasse 2 ; tarif plein/réduit comprenant l'entrée (même jour) au musée Berggruen et au musée de la Préhistoire et de la Protohistoire 6/3 €, gratuit moins de 16 ans et jeudi 18h-22h ; 10h-18h mar-dim, 10h-22h jeu ; Zoologischer Garten ;

Sorte de sanctuaire à la mémoire d'Helmut Newton, dernier enfant terrible de la photographie de mode, ce musée expose une sélection de ses œuvres ainsi que ses fameux "grands nus", son bureau de Monte-Carlo partiellement reconstitué, sa voiture et différents effets personnels comme ses appareils photo.

La Kaiser-Wilhelm-Gedächtniskirche

LE CHÂTEAU DE CHARLOTTENBURG ET SES ENVIRONS

Des neuf anciennes résidences royales de Berlin, le **château de Charlottenburg** (Schloss Charlottenburg ; ☎ 390 911 ; www.spsg.de ; Spandauer Damm ; billet combiné 7/5 € ; Ⓤ Richard-Wagner-Platz, puis 🚌 145) est le plus vaste et le plus beau des édifices encore existants. Un superbe parc entoure le château. Chaque bâtiment nécessite un billet, mais la *Kombinationskarte* (billet combiné) permet de tout voir dans la journée, à l'exception de la Nouvelle Aile (Neuer Flügel). Le week-end et en été, mieux vaut venir tôt. Profitez de la visite pour voir quelques-uns des musées des environs. Pour en savoir plus, voir p. 12.

Le prestigieux château était à l'origine la résidence d'été de Sophie-Charlotte, épouse de l'Électeur Frédéric Ier. Son intérieur baroque se trouve dans la plus vieille partie du palais, l'**Ancien Château** (Altes Schloss ; ☎ 390 911 ; tarif plein/réduit comprenant visite guidée et étages supérieurs 10/7 € ; 🕒 9h-17h mar-dim) ; il est uniquement accessible dans le cadre d'une indigeste visite guidée de cinquante minutes (en allemand seulement : demandez la brochure en français). Le billet comprend les appartements de Frédéric Guillaume IV, à l'étage.

Si vous manquez de temps, rendez-vous directement à la **Nouvelle Aile** (☎ 390 911 ; tarif plein/réduit avec audio guide 6/5 € ; 🕒 10h-17h mar-dim avr-oct, 11h-17h nov-mars) : les quartiers privés de Frédéric le Grand, d'un faste éblouissant, tranchent avec l'austérité des appartements néoclassiques de son successeur, Frédéric Guillaume II.

Jouxtant la Nouvelle Aile, le **Nouveau Pavillon** (Neuer Pavillon ; ☎ 3209 1443 ; tarif plein/réduit 2/1,50 € ; 🕒 10h-17h mar-dim) servait de retraite d'été à Frédéric Guillaume III et renferme aujourd'hui les œuvres d'artistes berlinois du début du XIXe siècle.

Par beau temps, promenez-vous dans les allées ombragées du parc du palais, entre les parterres de fleurs et les pelouses impeccables. D'un blanc étincelant, le mini-palais du **Belvédère** (☎ 3909 1445 ; tarif plein/réduit 2/1,50 € ; 🕒 12h-17h mar-ven, 10h-17h sam et dim avr-oct, 12h-16h mar-dim nov-mars) abrite une collection de chefs-d'œuvre du fabricant royal de porcelaine KPM. De l'autre côté de l'étang aux carpes se dresse le sombre **mausolée** (☎ 3209 1446 ; tarif plein/réduit 2/1,50 € ; 🕒 10h-17h mar-dim avr-oct), où reposent différents monarques, dont l'empereur Guillaume Ier et son épouse. Les sarcophages ornés sont de véritables œuvres d'art, mais il est malheureusement impossible de s'en approcher.

Au sud du château, le **musée Berggruen** (☎ 326 9580 ; www.smb.spk-berlin.de ; Schlossstrasse 1 ; tarif plein/réduit comprenant l'accès le même jour au musée de la Photographie/collection Helmut-Newton 6/3 €, gratuit moins de 16 ans et pour tous jeudi 14h-18h ; 🕒 10h-18h mar-dim ; ♿) expose des œuvres des grands maîtres de l'art moderne, dont Picasso, Klee, Matisse et Giacometti.

Son voisin est le **musée Bröhan** (☎ 3269 0600 ; www.broehan-museum.de ; Schlossstrasse 1a ; tarif plein/réduit 5/4 € ; 🕒 10h-18h mar-dim ; ♿), dont la collection de meubles et d'objets décoratifs des périodes Art nouveau, Art déco et du fonctionnalisme (1889–1939) est remarquable.

Pour se restaurer, le **Natural'Mente** (☎ 341 4166 ; Schustehrusstrasse 26 ; 🕒 11h30-14h lun-ven, 11h30-15h30 dim) sert des plats bio végétariens, végétaliens et macrobiotiques.

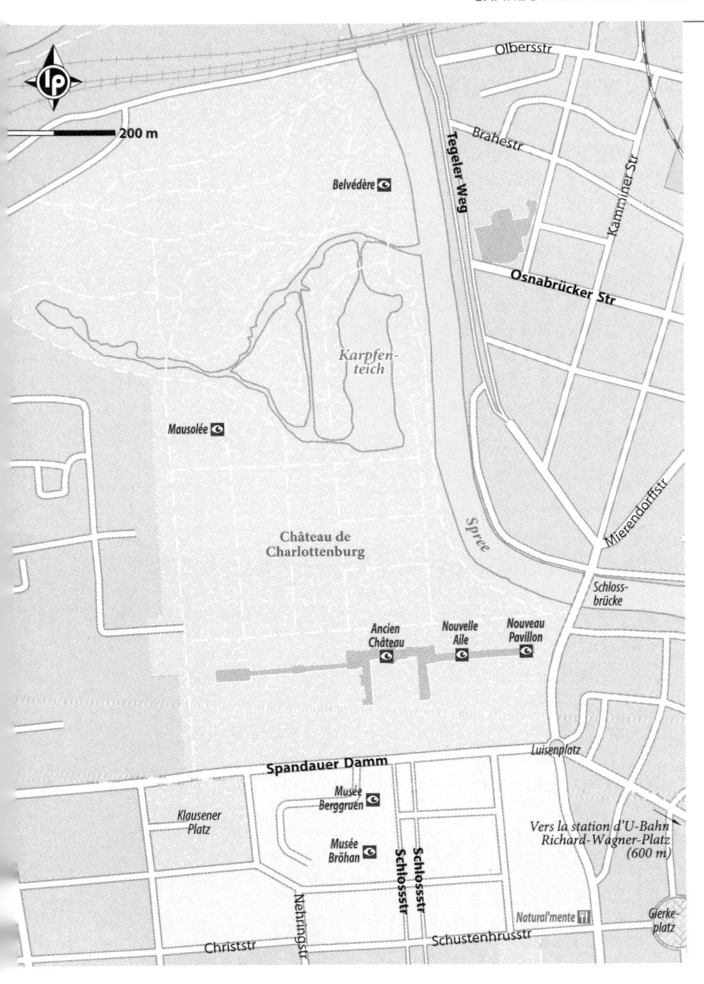
200 m
Olbersstr
Brahestr
Tegeler Weg
Kamminer Str
Belvédère
Osnabrücker Str
Karpfen-
teich
Mausolée
Spree
Mierendorffstr
Château de
Charlottenburg
Schloss-
brücke
Ancien
Château
Nouvelle
Aile
Nouveau
Pavillon
Luisenplatz
Spandauer Damm
Musée
Berggruen
Klausener
Platz
Vers la station d'U-Bahn
Richard-Wagner-Platz
(600 m)
Musée
Bröhan
Schlossstr
Schlossstr
Nehringstr
Natural'mente
Gierke-
platz
Christstr
Schustehrusstr

STORY OF BERLIN

☎ 8872 0100 ; www.story-of-berlin.de ; Kurfürstendamm 207-208 ; tarif plein/ réduit/famille 9,80/8/21 € ; 10h-20h, dernière entrée et visite du bunker 18h ; Uhlandstrasse ;

Ce musée multimédia découpe huit cents ans d'histoire de la ville en sections à la fois courtes et instructives. La visite d'un bunker encore en état sous le bâtiment vous replonge dans la guerre froide avec un réalisme glaçant. Entrée par l'intérieur du centre commercial Ku'damm Karree.

ZOO DE BERLIN ET AQUARIUM

☎ 254 010 ; www.zoo-berlin.de ; Hardenbergplatz 8 ; adulte/enfant/étudiant zoo ou aquarium 11/5,50/8 €, zoo et aquarium 16,50/8,50/13 €; 10h-18h30 mi-avr-mi-oct, 9h-17h mi-oct-mi-avr ; Zoologischer Garten ;

Ouvert en 1844 pour accueillir les animaux de la réserve de la famille royale, c'est le plus ancien zoo allemand. Aujourd'hui, quelque 14 000 créatures des cinq continents, 1 500 espèces au total, vivent ici. Knut, l'ours blanc né dans l'enceinte du zoo en 2006 (voir p. 130), et Bao Bao, un panda géant de Chine, sont de véritables célébrités. L'**Aquarium** voisin (www. aquarium-berlin.de ; entrée Budapester Strasse 32) présente des poissons, des amphibiens, des insectes et des reptiles, dont des crocodiles.

SHOPPING

CONFISERIE MELANIE

Alimentation

☎ 313 8330 ; Goethestrasse 4 ; 10h-19h lun-mer et ven, 10h-14h sam ; Ernst-Reuter-Strasse

Véritable lieu de pèlerinage pour gourmets, cette minuscule boutique à l'ancienne vend les trésors (confiseries, condiments et spiritueux) dénichés chez des petits commerçants de toute l'Europe par Eberhard Päller. Ne manquez pas les truffes faites maison, parfumées à l'absinthe, aux cèpes, et à l'ail.

À NE PAS MANQUER – L'OLYMPIASTADION

Bâti pour les Jeux olympiques de 1936 et largement restauré depuis, le **stade olympique** (☎ 2500 2322 ; www.olympiastadion-berlin.de ; Olympischer Platz 3 ; tarif plein/ réduit 3/2 €, visite 6/5 € ; 10h-19h avr-oct, 10h-16h nov-mars, sauf événement ; Olympiastadion) a rouvert ses portes pour la Coupe du monde FIFA 2006. Nouveauté la plus spectaculaire : le toit oval qui allège habilement la lourdeur ampoulée de l'édifice. Le stade reçoit les matchs de la Bundesliga (ligue 1), ainsi que d'autres événements sportifs et des concerts.

Römer + Römer

Artistes, représentés dans la Galerie Michael Schultz

Vous avez tous deux étudié avec AR Penck à l'académie des Arts de Düsseldorf. Pourquoi vous être installés à Berlin ? Ici, les structures ne sont pas aussi rigides. Il y a plus de mouvement, d'inspiration internationale et de gens de toutes cultures. **Quel est votre quartier préféré ?** Kreuzberg, où nous vivons. C'est le plus artistique, le plus éclectique, et il conserve un peu l'ambiance de l'époque des punks et des squatters. **Les artistes sont-ils soutenus à Berlin ?** Oui, les galeries recherchent de jeunes artistes, et les espaces insolites ne manquent pas où exposer. **Vous peignez souvent des scènes de la vie berlinoise. Qu'est-ce qui vous inspire ?** Nous recherchons des scènes de la vie quotidienne, mais pas des clichés : des situations excessives et intenses. **Quel est votre adresse préférée pour voir de l'art ?** La gare de Hambourg (p. 78), Martin-Gropius-Bau (p. 114) et la maison des Cultures du monde (p. 79).

GALERIE MICHAEL SCHULTZ *Galerie d'art*

319 9130 ; www.galerie-schultz.de ; Mommsenstrasse 34 ; 11h-19h lun-ven, 10h-14h sam ; Charlottenburg

Cette galerie représente depuis longtemps des artistes contemporains allemands comme AR Penck et Georg Baselitz, mais travaille aussi avec des peintres figuratifs reconnus de la nouvelle génération, tels Nobert Bisky, Cornelia Schleime et Römer + Römer, couple d'artistes russes établis à Berlin (retrouvez-les p. 135).

GLASKLAR *Cadeaux et accessoires*

313 1037 ; Knesebeckstrasse 13-14 ; 11h-18h30 lun-ven, 11h-16h sam ; Ernst-Reuter-Platz

Verres droits ou à pied, flûtes, gobelets… Les murs de cette minuscule boutique sont pleins de toute une collection de verres élégants et à prix raisonnable, ainsi que de théières, de vases et de carafes.

HARRY LEHMANN *Parfum*

324 3582 ; www.parfum-individual.de en allemand ; Kantstrasse 106 ; 9h-18h30 lun-ven, 9h-14h sam ; Wilmersdorfer Strasse

Une plongée dans le vieux Berlin… La famille Lehmann compose des parfums à partir de recettes secrètes depuis 1926. Les fragrances passent d'énormes bocaux à de petites bouteilles et sont vendues au poids, à partir de 3 € pour 10 g. Vous pouvez également vous offrir un parfum personnalisé.

HAUTNAH *Érotisme*

882 3434 ; Uhlandstrasse 170 ; 12h-20h lun-ven, 11h-16h sam ; Uhlandstrasse

HELMUT NEWTON – GÉNIE OU MISOGYNE ?

Natif de Berlin, Helmut Newton (1920–2004) se passionna tout jeune pour la photographie et obtint même un stage chez le célèbre photographe de mode allemand Yva. Son origine juive le contraignit à fuir les nazis en 1938 et à s'établir en Australie d'abord, puis à Monte-Carlo. L'œuvre de Newton reflète son obsession pour le corps féminin, qu'il représentait souvent dans des postures ambiguës, quasi pornographiques. Un célèbre cliché montre un mannequin à quatre pattes, affublée d'une selle de cheval, tandis que son œuvre la plus célèbre, sa série de "grands nus", représente un groupe d'amazones toutes nues. Même ses paysages et ses rares natures mortes sont souvent chargés d'érotisme. Peu de temps avant l'accident de voiture qui lui coûta la vie, Newton fit don d'une grande partie de son œuvre à la ville de Berlin. Elle est aujourd'hui exposée au musée de la Photographie (p. 131). Il est enterré à Schöneberg, près de son idole, Marlene Dietrich.

Réveillez le gourmet qui est en vous chez Eberhard Päller : Confiserie Melanie (p. 134)

Les adeptes de l'hédonisme ne manqueront pas cette grande surface dédiée à l'érotisme : bustiers en latex, combinaisons en caoutchouc, godemichés en tout genre et mille autres gadgets… Le magasin a tout prévu et possède même une cave à vins bien approvisionnée.

HUGENDUBEL *Livres*

☎ 214 060 ; www.hugendubel.de en allemand ; Tauentzienstrasse 13 ; 10h-20h lun-sam ; Kurfürstendamm

Cett excellente chaîne généraliste, avec un café et des coins lecture, présente une sélection de livres en langues étrangères.

STILWERK

Décoration d'intérieur

☎ 3151 5500 ; Kantstrasse 17 ; 10h-20h lun-sam ; Savignyplatz

Réparti sur quatre niveaux, ce grand magasin de bon goût ravira les décorateurs avertis, qui pourront garnir leurs intérieurs de chaises, vaisselle et cuisines des plus grands noms comme Alessi, Bang & Olufsen, Philippe Starck, Ligne Roset, Gaggenau et bien d'autres.

UNE SÉANCE DE SHOPPING

Charlottenburg est le paradis du shopping : boutiques et grands magasins y sont innombrables. Voici quelques adresses :

> Le Kurfürstendamm et la Tauentzienstrasse (C3, E2) – enseignes internationales comme H&M, Mango, Zara, Diesel et Nike.

> Le Kurfürstendamm entre la Schlüterstrasse et la Leibnizstrasse (C3) – Versace, Hermès, Cartier, Bulgari et autres marques internationales.

> La Kantstrasse entre la Savignyplatz et la Fasanenstrasse (D2) – décoration d'intérieur.

> La Bleibtreustrasse, la Fasanenstrasse et la Schlüterstrasse (C3, D3, C2) – boutiques de créateurs originaux, librairies et galeries d'art.

SE RESTAURER

CAFÉ WINTERGARTEN IM LITERATURHAUS *Café* €€

☎ 882 5414 ; www.literaturhaus-berlin.de en allemand ; Fasanenstrasse 23 ; 9h30-minuit ; Uhlandstrasse

Cette villa Art Nouveau s'est installée dans une oasis enchanteresse à mille lieux de l'agitation du Kurfürstendamm. Elle vous accueille dans ses salles décorées de stuc qui dégagent un charme fou. L'été, il est plaisant de petit-déjeuner, déjeuner léger ou boire un café dans le jardin. Venez donc y respirer une après-midi ou un soir les effluves et l'âme du vieux Berlin.

EPOQUE *Français* €€€

☎ 8867 7388 ; www.restaurant-epoque.de en allemand ; Knesebeckstrasse 76 ; 18h-minuit mer-dim ; Savignyplatz

Carsten Rosener, le chef de ce minuscule restaurant réserve des surprises à vos papilles. L'inventivité de ce rebelle, formé initialement à la cuisine française, défie toute classification : agneau à la réglisse ou coquilles Saint-Jacques fumées à la choucroute, ses créations sont généralement succulentes (mais parfois trop farfelues).

JULES VERNE *International* €€

☎ 3180 9410 ; julesverne@gmx.de ; Schlüterstrasse 61 ; 8h-1h ; Savignyplatz ; V

Le menu éclectique est un hommage à l'inlassable voyageur éponyme : *Flammekuche* (tarte flambée à l'alsacienne), *Schnitzel* autrichien et couscous ravissent les habitués. Petit déjeuner jusqu'à 15h.

KUCHI *Asiatique* €€-€€€

☎ 3150 7815 ; www.kuchi.de en allemand ; Kantstrasse 30 ; 12h-minuit ; Savignyplatz

Adresse d'origine du restaurant de sushi "extrêmes" dans Mitte (p. 70).

MAR Y SOL *Espagnol* €€-€€€

☎ 313 2593 ; www.marysol-berlin.de ; Savignyplatz 5 ; 🕒 11h-1h ; Ⓢ Savignyplatz ; ♿ V

Agrémenté d'un patio et de fontaines donnant sur la Savignyplatz, ce superbe bar à tapas rend parfaitement l'atmosphère brûlante de l'Andalousie et sert des délices : dates enroulées dans du bacon, sardines épicées, poulet recouvert de miel et de pignons de pin… En hiver, les tables sont installées dans la salle à manger de style colonial.

MOON THAI *Thaïlandais* €€

☎ 3180 9743 ; Kantstrasse 32 ; 🕒 12h-minuit ; Ⓢ Savignyplatz ; V

Les œuvres d'art thaïlandaises qui sont mises en valeur par les murs orange composent un cadre très agréable pour cet établissement familial à l'ambiance détendue. Le menu est une succession de classiques ; nous vous recommandons tout ce qui est à base de canard, ainsi que les plats de *seitan*, aux légumes frais et relevés aux épices.

MR HAI & FRIENDS *Vietnamien* €€-€€€

☎ 3759 1200 ; Savignyplatz 1 ; 🕒 11h-1h ; Ⓢ Savignyplatz ; V

La Savignyplatz, qui est un lieu animé, compte plusieurs restaurants, mais ce vietnamien est souvent pris d'assaut par les habitants de ce quartier chic, séduits par les soupes, les rouleaux de printemps, les satays, et par d'autres plats délicieusement parfumés.

PRENDRE UN VERRE

GAINSBOURG – BAR AMÉRICAIN *Bar*

☎ 313 7464 ; www.gainsbourg.de en allemand ; Savignyplatz 5 ; 🕒 à partir de 17h ; Ⓢ Savignyplatz

Plus parisien que new-yorkais, ce bar bondé attire une foule d'intellos trentenaires, comme en témoigne le plafond taché de nicotine. Détendez-vous dans cet antre chaleureux tout en sirotant des cocktails (certains ont remporté des prix et leurs recettes sont déposées). Pour les fumeurs de gitanes…

GALERIE BREMER *Bar*

☎ 881 4908 ; www.galerie-bremer.de en allemand ; Fasanenstrasse 37 ; 🕒 à partir de 20h lun-sam ; Ⓤ Spichernstrasse

Dissimulé derrière une galerie d'art, cet établissement a tout d'un bar clandestin chic des années 1920, mais qui serait privé de son l'atmosphère de débauche. L'intérieur a été conçu par l'architecte de la Philharmonie, Hans Scharoun.

SCHLEUSENKRUG *Biergarten*

313 9909 ; www.schleusenkrug.de en allemand ; Müller-Breslau-Strasse ; à partir de 10h ; Zoologischer Garten

Trinquez en regardant les bateaux entrer dans l'écluse qui donne son nom à ce *Biergarten* : du matin au soir, une clientèle bigarrée partage des pintes de Pils et des plats simples et copieux à l'ombre des hêtres.

UNIVERSUM LOUNGE *Bar*

8906 4995 ; www.universumlounge.com en allemand ; Kurfürstendamm 153 ; à partir de 18h ; Adenauerplatz

Occupant le même édifice que la Schaubühne, bijou Bauhaus des années 1920 conçu par Erich Mendelssohn, ce bar au comptoir en tek arrondi, aux banquettes en cuir blanc et à l'ambiance sensuelle, version cosmonaute rétro, attire les foules après la tombée du rideau.

Le cabaret revient au goût du jour... du moins au Bar Jeder Vernunft

SORTIR

A-TRANE *Club de jazz*

☎ 313 2550 ; www.a-trane.de en allemand ; Bleibtreustrasse 1 ; entrée 5-20 € ; 21h-2h dim-jeu, 21h-tard ven et sam ; Savignyplatz

Herbie Hancock, Diana Krall, Wynton Marsalis et bien d'autres grands noms du jazz ont joué dans ce club intimiste, qui parvient malgré tout à conserver une ambiance confidentielle. L'entrée est gratuite le lundi pour écouter Andreas Schmidt, jazzman berlinois, et après minuit et demi le samedi pour la session jam.

BAR JEDER VERNUNFT *Cabaret*

☎ 883 1582 ; www.bar-jeder-vernunft.de en allemand ; Schaperstrasse 24 ; places 14-30 € ; Spichernstrasse

Dédié au cabaret, ce chapiteau lumineux Art Nouveau de 1912 présente des spectacles de chant et de danse, et des soirées chanson ainsi qu'une version ultra-célèbre de la comédie musicale culte. Pour admirer le cadre, venez après le spectacle prendre un verre dans le piano-bar. Entrée par le parking.

DEUTSCHE OPER BERLIN *Opéra*

☎ 343 8401 ; www.deutscheoperberlin.de ; Bismarckstrasse 35 ; places 12-112 € ; Deutsche Oper

Jusqu'à l'arrivée de Kirsten Harms, première femme à la tête d'un opéra allemand, ce vaste théâtre (le plus grand de Berlin) connaissait une crise budgétaire et présentait des spectacles médiocres. Grâce à Kirsten Harms, le public est revenu, en dépit de la controverse survenue fin 2006 à propos d'un spectacle où apparaissaient les têtes coupées de Mohammed, Jésus, Bouddha et Neptune.

QUASIMODO *Musique live*

☎ 312 8086 ; www.quasimodo.de ; Kantstrasse 12a, Charlottenburg ; entrée 7,50-13 € ; à partir de 21h ; Zoologischer Garten

Le plus vieux bar de jazz de Berlin a diversifié sa programmation pour proposer du blues, de la salsa et même du disco. La scène est très proche, mais la petite taille de la salle, le plafond bas, les murs noirs et l'air enfumé sont un peu étouffants.

>SCHÖNEBERG

Situé entre le sage quartier de Wilmersdorf et l'excentrique Kreuzberg, Schöneberg, qui a connu un fort activisme à l'époque des squats durant les années 1980, montre aujourd'hui un visage moins radical, aux traits apaisés. Le quartier semble même s'être un peu embourgeoisé. Faute de site touristique, le grand magasin KaDeWe est sans doute son principal attrait. Toutefois, le cœur de ce quartier est la Winterfeldtplatz, avec ses bars et ses cafés, où s'installe un marché animé le samedi.

À proximité, la Motzstrasse et la Fuggerstrasse sont des rendez-vous gays depuis les années 1920, une période décrite dans *Adieu à Berlin*, récit haut en couleur de Christopher Isherwood, qui vivait au numéro 17 de la Nollendorfstrasse. Grande amatrice des "gars" du quartier, Marlene Dietrich est enterrée au cimetière Schöneberg III dans la Stubenrauchstrasse, à environ 1,5 km au sud-ouest de l'hôtel de ville de Schöneberg, où John F. Kennedy déclara sa solidarité à la population de la ville en lançant *"Ich bin ein Berliner !"* en 1963. Le numéro 155 de l'Hauptstrasse , où David Bowie et Iggy Pop partagèrent un appartement à la fin des années 1970, est à un peu plus d'1 km au nord-ouest.

SCHÖNEBERG

SHOPPING

Boyz 'r Us et Goldelse **1** C2
Bruno's **2** C2
KaDeWe **3** A2
Mr Dead & Mrs Free **4** C2

SE RESTAURER

Habibi 5 C3
Ousies 6 C4
Storch 7 B5
Trattoria a Muntagnola 8 A2
Winterfeldtmarkt 9 C3

PRENDRE UN VERRE

Green Door **10** B3
Hafen **11** B3
Heile Welt **12** B2
Mutter **13** B3

SORTIR

Connection 14 A2
Wintergarten Varieté 15 D2
Xenon 16 C5

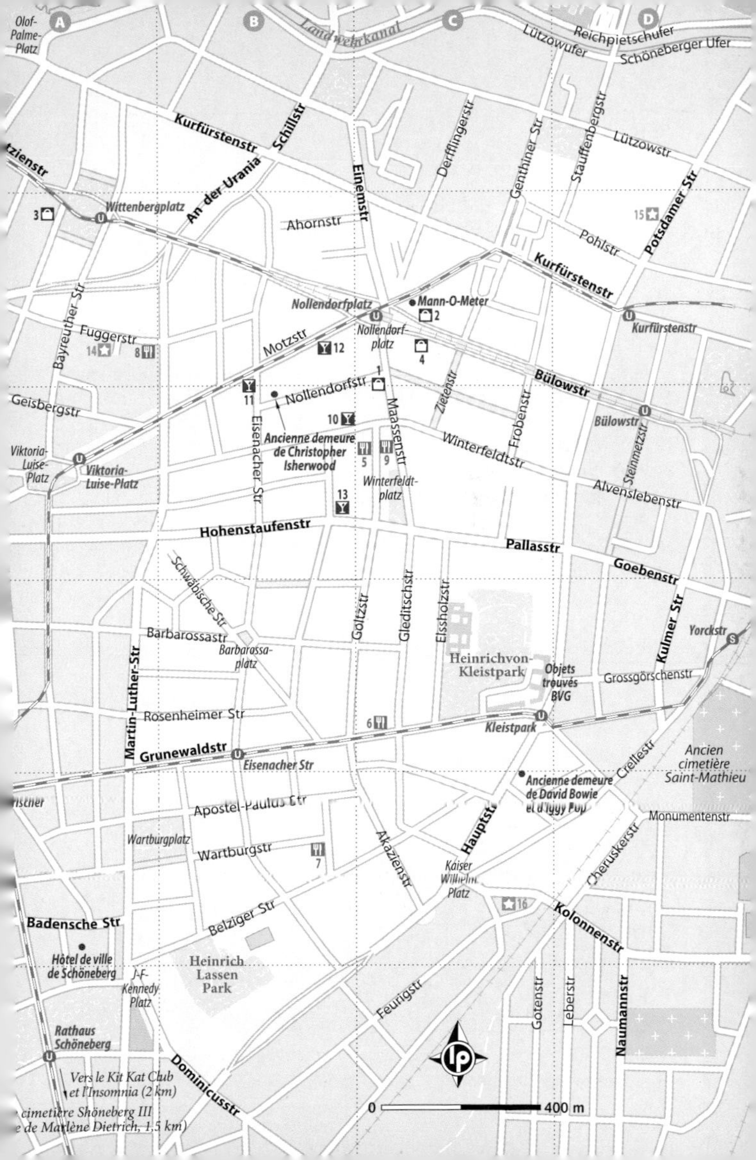
A
B
C
D
Olof-Palme-Platz
Landwehrkanal
Lützowufer
Reichpietschufer
Schöneberger Ufer
Kurfürstenstr
Schillstr
An der Urania
Einemstr
Derfflingerstr
Genthiner Str
Stauffenbergstr
Lützowstr
Potsdamer Str
Wittenbergplatz
Ahornstr
Pohlstr
Nollendorfplatz
Mann-O-Meter
Kurfürstenstr
Fuggerstr
Bayreuther Str
Motzstr
Nollendorfplatz
Bülowstr
Nollendorfstr
Zietenstr
Frobenstr
Geisbergstr
Maassenstr
Ancienne demeure de Christopher Isherwood
Winterfeldtstr
Steinmetzstr
Viktoria-Luise-Platz
Eisenacher Str
Winterfeldtplatz
Alvenslebenstr
Hohenstaufenstr
Pallasstr
Goebenstr
Schwäbische Str
Goltzstr
Gleditschstr
Elssholzstr
Kulmer Str
Yorckstr
Barbarossastr
Barbarossaplatz
Heinrichvon-Kleistpark
Objets trouvés BVG
Grossgörschenstr
Martin-Luther-Str
Rosenheimer Str
Kleistpark
Grunewaldstr
Eisenacher Str
Ancien cimetière Saint-Mathieu
Crellestr
Ancienne demeure de David Bowie et d'Iggy Pop
Apostel-Paulus Str
Monumentenstr
Hauptstr
Wartburgplatz
Wartburgstr
Akazienstr
Cheruskerstr
Kaiser Wilhelm Platz
Kolonnenstr
Badensche Str
Belziger Str
Hôtel de ville de Schöneberg
Heinrich Lassen Park
J-F-Kennedy Platz
Feurigstr
Gotenstr
Leberstr
Naumannstr
Rathaus Schöneberg
Dominicusstr
Vers le Kit Kat Club et l'Insomnia (2 km)
cimetière Shöneberg III
de Marlène Dietrich, 1,5 km)
0
400 m

SHOPPING

Le grand magasin KaDeWe est incontournable, mais c'est en se promenant de la Nollendorfplatz à l'Hauptstrasse *via* les Maassenstrasse, Goltzstrasse et Akazienstrasse que l'on prend le mieux le pouls du quartier.

BOYZ 'R US ET GOLDELSE

Mode

2363 0640 ; www.boyz-r-us.de en allemand ; Maassenstrasse 8 ; 11h-20h lun-ven, 10h-20h sam ; Nollendorfplatz

Les deux magasins habillent respectivement les garçons et les filles de trouvailles dernier cri de chez Adidas, G-Star, Diesel, Energie, Kresse et de jolis articles de la marque suédoise Bikkembergs.

BRUNO'S *Érotisme*

6150 0385 ; fax 6150 0386 ; Bülowstrasse 106 ; 10h-22h lun-sam ; Nollendorfplatz

Fondé par Bruno Gmünder, éditeur des guides *Spartacus*, ce supermarché gay est un passage obligé : livres, magazines et vidéos à thèmes, vêtements et jouets, lubrifiants et autres produits indispensables.

KADEWE *Grand magasin*

212 10 ; www.kadewe-berlin.de ; Tauentzienstrasse 21-24 ; 10h-20h lun-sam ; Wittenbergplatz

Ce fascinant établissement de huit étages est le plus grand d'Europe après Harrods, à Londres. On y trouve tout ou presque, du fil à coudre aux lave-linge. Même si vous manquez de temps, ne manquez pas le légendaire rayon gourmet au 6e niveau.

MR DEAD & MRS FREE

Musique

215 1449 ; Bülowstrasse 5 ; 11h-19h lun-ven, 11h-16h sam ; Nollendorfplatz

Cette institution berlinoise propose un choix éclectique de musiques principalement anglaises et américaines : rock, pop, country, indie, alternative, et même jazz, soul et blues. Le vinyle est roi, mais vous trouverez aussi quelques CD.

SE RESTAURER

Les indécis se rendront sur la Nollendorfplatz et prendront vers le sud : vous trouverez sûrement de quoi vous sustenter dans une des dizaines de cafétérias, servant des plats venant du monde entier, depuis la Grèce jusqu'à la Thaïlande, en passant par la Turquie et le Népal.

HABIBI *Moyen-oriental* €

215 3332 ; Goltzstrasse 24 ; 11h-3h ; Nollendorfplatz

Habibi signifie "bien-aimé" : ce snack très fréquenté cultive en effet une vraie passion pour le falafel.

Dominique

Dominatrice, performeuse et propriétaire du club érotique l'Insomnia (p. 148)

Comment avez-vous débuté dans le milieu de l'érotisme ? J'ai toujours été intéressée par le sexe. Ma mère était une dominatrice, et j'ai ouvert mon propre studio SM avant mes 18 ans. Plus tard, j'ai organisé plusieurs séminaires SM, des soirées au Kit Kat Club et des spectacles érotiques avec **Double Trouble** (www.doubletrouble-berlin.de). **Qu'est-ce qui fait la spécificité d'Insomnia ?** C'est un établissement élégant et sûr, où se rencontrent couche-tard, fêtards, échangistes, fétichistes et sado-masochistes. **Un conseil à ceux qui viennent pour la première fois ?** Qu'ils soient ouverts et sympas. Vous pouvez regarder, mais pas sauter maladroitement sur un parfait inconnu. Souvent chez les mecs, plus il y en a dans le slip, moins il y en a dans le crâne. **Qu'est-ce que vous préférez dans votre travail ?** J'adore quand les gens me disent que j'ai changé leur vie, en mieux. **Que faites-vous pour vous détendre ?** Pas la fête ! J'emmène mon fils faire du vélo dans la forêt, je retrouve des amis ou je lis un bon livre.

Cuisiné comme il faut, crémeux et croustillant à souhait, il est à déguster avec un jus de carotte fraîchement pressé.

OUSIES *Grec* €€

216 7957 ; Grunewaldstrasse 16 ; à partir de 17h ; Eisenacher Strasse

Très appréciée, cette *ouzeria*, équivalent grec d'un bar à tapas, concocte des recettes authentiques à goûter dans de petites assiettes : *stifado* (ragoût de bœuf) et *spetsofai* (saucisse copieuse), sardines fourrées aux épinards… Réservation conseillée.

STORCH *Français* €€€

784 2059 ; www.storch-berlin.de en allemand ; Wartburgstrasse 54 ; 18h-1h lun-sam ; Eisenacher Strasse

Méconnu des touristes mais souvent bondé, Storch se distingue par d'excellents plats alsaciens et un charmant patron, ancien punk, qui fait souvent une apparition en salle pour saluer les clients. Au menu : oie farcie, ragoût de sanglier, et autres spécialités roboratives. Réservation conseillée.

TRATTORIA Á MUNTAGNOLA *Italien* €€-€€€

211 6642 ; www.muntagnola.de ; Fuggerstrasse 27 ; 17h-minuit ; Wittenbergplatz

Une ambiance familiale règne dans cette trattoria dont les plats savoureux semblent parfumés aux odeurs provenant de l'ensoleillée Basilicata, région du sud de l'Italie. Recommandons l'agneau au romarin, les pizzas et les pâtes (idéales pour les enfants). Le petit plus : le plateau d'huiles d'olive.

WINTERFELDTMARKT *Marché* €€

Winterfeldtplatz ; 8h-14h mer, 8h-16h sam ; Nollendorfplatz

Le samedi, quand il fait beau, la moitié de Berlin semble se retrouver dans cet opulent marché, où les produits de qualité côtoient un bric-à-brac d'objets artisanaux. Suivez l'exemple des gens du cru, et finissez vos courses par un petit déjeuner dans un café, ou par un curry ou une crêpe dans l'une des échoppes du marché.

PRENDRE UN VERRE

Les environs de la Winterfeldtplatz et de la Goltzstrasse sont parsemés de bars, tandis que les adresses gays dominent dans la Motzstrasse et la Fuggerstrasse.

GREEN DOOR *Bar*

215 2515 ; www.greendoor.de ; Winterfeldtstrasse 50 ; 18h-3h lun-jeu, 18h-5h ven et sam ; Nollendorfplatz

Green Door est un lieu où l'on a envie de rester lontemps : c'est l'un des meilleurs bars à cocktails de Berlin, où officie une longue lignée de barmen renommés. Afin d'accroître le sentiment d'intimité des lieux, il faut sonner pour entrer.

HAFEN *Bar gay*

☎ 211 4118 ; www.hafen-berlin.de ; Motzstrasse 19 ; à partir de 20h ; Nollendorfplatz

Rendez-vous de longue date de la communauté gay, cette adresse accueillante peut être la première étape d'une longue nuit de fête débridée. Le lundi, Hendryk préside à une cour de disciples férus de son spectacle hilarant Quizzorama (en anglais le 1er lundi du mois).

HEILE WELT *Bar gay*

☎ 2191 7507 ; Motzstrasse 5 ; à partir de 18h ; Nollendorfplatz

Dans une atmosphère détendue, tamisée et sensuelle, ce bar, qui s'appelle le "monde parfait", est un haut lieu de séduction où chacun peut s'échauffer avant que la nuit ne devienne encore plus torride.

Sur le Winterfeldtmarkt, les plats peuvent être épicés : gare aux papilles fragiles !

L'élégant salon, situé à l'arrière du bar, qui est ouvert uniquement le week-end, est généralement rempli à craquer.

MUTTER *Café-bar*

☎ 216 4990 ; fax 2363 9728 ; Hohenstaufenstrasse 4 ; à partir de 10h ; Eisenacher Strasse

"Maman" prend bien soin de ceux qui ont envie de se détendre dans un cadre chaleureux : les salles dorées de cette taverne sans prétention sont perpétuellement pleines d'étudiants bavards et d'autres habitants du quartier. Au menu, plats thaïlandais et sushis, mais vous trouverez également quantité de cafétérias dans la Goltzstrasse voisine.

SORTIR

CONNECTION *Club gay*

☎ 218 1432 ; www.connection-berlin.de en allemand ; Fuggerstrasse 33 ; prix variable ; ven et sam ; Wittenbergplatz

Parmi les pionniers de la techno dans les années 1980, ce club gay n'a rien perdu de son entrain. Son labyrinthe de salles obscures souterraines est légendaire, et les trois étages, avec piste de danse illuminée de miroirs et musique tonitruante, sont réservés aux hommes.

WINTERGARTEN VARIETÉ *Cabaret*

☎ 2500 8888 ; www.wintergarten-variete.de en allemand ; Potsdamer Strasse 96 ; places 20-60 € ; Kurfürstenstrasse

SI VOUS RECHERCHEZ LE BERLIN SEXY...

Dans le lointain quartier de Tempelhof, au sud de Schöneberg, deux clubs érotiques vous réservent une nuit de plaisirs hédonistes. Dans l'**Insomnia** (☎ 0177-233 3878 ; www.insomnia-berlin.de en allemand ; Alt-Tempelhof 17-19 ; entrée 5-15 € ; à partir de 21h mer et jeu, de 22h ven et sam, et de 15h dim ; Alt-Tempelhof), ancienne salle de bal du XIXe siècle convertie avec goût, chacun donne libre cours à ses passions sous l'autorité de Dominique, reine du fétichisme (voir p. 145). Au programme : piste de danse, pornos d'Andrew Blake sur écran géant, performances et expériences diverses (bain à remous, salle de bondage...). Le samedi, la soirée "Circus Bizarre" est une bonne introduction ; le dimanche soir est réservé aux couples avec leurs partenaires.

À une courte distance en taxi, au célèbre **Kit Kat Club** (www.kitkatclub.de ; Bessemer Strasse 2-14 ; entrée 5-15 € ; ven-dim ; Alt-Tempelhof) se rencontrent l'esprit décadent des années 1920 et la modernité aux accents de la culture techno du XXIe siècle. L'adresse est plus tapageuse que l'Insomnia, surtout durant le "Carneball Bizarre" du samedi et le "Piep Show" du dimanche. Code vestimentaire sur le site Internet. Voir aussi p. 169.

Clowns au Wintergarten Varieté, cabaret inspiré des années 1920

Le plafond illuminé d'étoiles fait de ce cabaret le plus somptueux de Berlin, et met en valeur les magiciens, acrobates, artistes et clowns de renommée internationale qui s'y produisent. Le lieu attire des foules de touristes, mais les spectacle sont amusants. De septembre à avril, des séances de 75 min ont lieu l'après-midi (19 €) le mercredi et le dimanche.

XENON *Cinéma*

☎ 7800 1530 ; www.xenon-kino.de en allemand ; Kolonnenstrasse 5-6 ; billet 6 € ; Kleistpark

Édifié en 1909, le deuxième plus ancien cinéma de la ville propose aux gays, lesbiennes, et transsexuels des films étrangers et des saisons à thèmes. D'autre part, des films pour enfants sont projetés l'après-midi.

>ZOOM SUR...

Fêtard, féru d'histoire, passionné d'architecture, amateur d'art, gourmet ou curieux de bizarreries ? Berlin est comme un grand livre où chacun lira et écrira les pages qui lui plairont. Un seul mot d'ordre : gardez l'esprit ouvert, et amusez-vous bien !

Au Zum Schmutzigen Hobby (p. 99), Nina Queer, diva drag-queen, teste vos connaissances du glamour.

CUISINE

Les restaurants de Berlin servent une cuisine à l'image de la ville : originale, variée et audacieuse. Jadis considérée comme un désert gastronomique, la capitale allemande a attiré des chefs jeunes et brillants qui ont imposé un style novateur. S'inspirant des classiques, certains les allègent, les parent d'une touche d'originalité pour servir des plats plus sains… et plus créatifs. De fait, les adresses qui servent encore de l'*Eisbein* (jarret de porc) ou du *Kasseler* (côtelettes de porc fumé) sont en voie de disparition.

Les enquêteurs de chez Michelin ont dû se rendre à l'évidence : en conférant une étoile à pas moins de dix établissements, dont le Margaux et le Facil, le guide a élevé Berlin au rang de grande dame de la gastronomie. Heureusement, il est inutile de casser votre tirelire pour faire un bon repas : les meilleures adresses sont souvent des restaurants de quartier, élégants mais sans prétention. Kreuzberg en recèle un grand nombre. Chez ETA Hoffmann (p. 116), Jolesch (p 104) et Horváth (p. 104), la qualité et les prix doux attirent une clientèle fidèle.

Parallèlement, toute une variété d'adresses a apporté à Berlin une cuisine du monde entier, comme le Shiro I Shiro et ses influences fusion, furieusement tendances. La cuisine asiatique est très appréciée, du moins dans sa version remaniée, plus adaptée aux palais délicats des Berlinois. En outre, les végétariens y trouveront leur bonheur, d'autant que les plats sans viande sont généralement choses rares (sans parler des végétaliens) dans un pays essentiellement carnivore.

Le petit déjeuner a été élevé au rang de véritable art de vivre par les Berlinois : le dimanche, en particulier, les cafés offrent de copieux buffets. Autre spécialité locale, la *Currywurst* consiste en des tranches de saucisse baignant dans la sauce tomate et saupoudrées de poudre de curry. La saucisse fait l'objet d'un véritable culte, suivie de près par le *Döner* (chiche-kebab ; photo à gauche) : pita fourrée de copeaux de viande et de salade inondée de sauce au yaourt et à l'ail.

MEILLEURS RAPPORTS QUALITÉ/PRIX

- > ETA Hoffmann (p. 116)
- > Fellas (p. 94)
- > Oderquelle (p. 95)

LA PLUS BELLE DÉCO

- > Facil (p. 85)
- > Margaux (p. 52)
- > Shiro I Shiro (p. 71)
- > Spindler & Klatt (p. 105)

LES PLUS SAVOUREUX ITALIENS

- > I Due Forni (p. 94)
- > Miseria & Nobiltà (p. 124)
- > Vino e Libri (p. 71)

DÉLICIEUX EN-CAS

- > Curry 36 (p. 116)
- > Dada Falafel (p. 69)
- > Rosenthaler Grill-und Schlemmerbuffet (p. 95)
- > W-Imbiss (p. 97)

GAYS ET LESBIENNES

Le légendaire libéralisme des Berlinois a donné naissance à l'une des communautés gay et lesbienne les plus importantes au monde. À "Homopolis", chacun peut trouver chaussure à son pied : intellos ou manuels, bourgeois ou excentriques, classiques ou flamboyants.

Si Berlin ne possède aucun "ghetto gay" à proprement parler, certains quartiers sont plus roses que d'autres, comme la Motzstrasse (carte p. 143, B2) et la Fuggerstrasse (carte p. 143, A2) à Schöneberg (classique) ; la Greifenhagener Strasse (carte p. 89, B2), la Gleimstrasse (carte p. 89, B2) et la Schönhauser Allee (carte p. 89, B3) à Prenzlauer Berg (élégant) et l'Oranienstrasse (carte p. 101, A2) et le Mehringdamm (carte p. 111, B4) à Kreuzberg (alternatif).

Mais, où que vous alliez dans la ville, les lieux gays ne sont jamais bien loin : cafés relax, bars et cinémas kitsch, saunas, lieux de drague, discothèques avec backrooms et autres lieux ouverts aux envies les plus variées. En fait, sexe et sexualité sont parfaitement acceptés dans cette ville que rien ne choque et où chacun peut assouvir tous ses fantasmes ou presque. Comme ailleurs, les hommes ont davantage de choix, mais la communauté lesbienne de Berlin est l'une des plus dynamiques et hautes en couleur du vieux continent. De nombreux établissements ouvrent leurs portes aux deux sexes.

La référence est le magazine gratuit *Siegessäule* (www.siegessaeule.de en allemand), qui publie aussi un fascicule gratuit *Out in Berlin* (www.out-in-berlin.de en allemand et en anglais), distribué dans les Infostores (p. 190). *Sergej* (www.sergej.de en allemand) s'adresse uniquement aux hommes, tandis que *L-Mag* (www.l-mag.de en allemand) est lu par les lesbiennes.

C'est au sexologue Magnus Hirschfeld que Berlin doit sa réputation de Mecque homosexuelle : en 1897, il fonda le Comité scientifique humanitaire, qui ouvrit la voie à l'émancipation des homosexuels. Dans les années 1920, le Berlin interlope attira et inspira des écrivains, comme Christopher Isherwood, qui vécut à Schöneberg.

L'arrivée des nazis au pouvoir en 1933 mit bien sûr fin à cette période libertaire : sous le IIIe Reich, les homosexuels furent mis au ban de la société et finirent souvent en camps de concentration, marqués d'un triangle rose. À l'extérieur de la station d'U-Bahn Nollendorfplatz (carte p. 143, C2), une plaque rend hommage à ces victimes.

Malgré une lente renaissance aux lendemains de la guerre, la communauté a retrouvé ses marques dans les années 1970, du moins dans le quartier traditionnellement gay autour de la Motzstrasse, à l'ouest de la ville. Depuis 2001, Berlin est dirigé par un maire ouvertement homosexuel, Klaus Wowereit, dont la déclaration "Je suis gay, et c'est aussi bien comme ça", a été élevée au rang de slogan par la communauté. Pour en savoir plus sur ce pan de l'histoire de Berlin, rendez-vous au musée de l'Homosexualité (p. 114).

Le calendrier des festivals démarre en avril avec **Berlin Leder und Fetisch** (www.blf.de), six jours de fête rassemblant amateurs de cuir et fétichistes, s'achevant par le couronnement du "M. Cuir allemand". Début juin, les rues de Schöneberg sont envahies durant le Schwul-Lesbisches Strassenfest (festival de rue gay et lesbien), où les Berlinois s'échauffent avant le Christopher Street Day (p. 28), qui a lieu plus tard dans le mois. Cette manifestation géante aux accents revendicatifs attire un demi-million de fêtards. En septembre, **Folsom Europe** (www.folsomeurope.com) voit ressortir les fétichistes de tout crin. L'année s'achève dans les salles obscures, avec le **Festival du film lesbien** (www.lesbenfilmfestival.de) en octobre et le festival du cinéma queer **Verzaubert** (p. 30) à la fin du mois de novembre.

Pour de plus amples informations, les gays peuvent s'adresser à **Mann-O-Meter** (carte p. 143, C2 ; ☎ 216 8008 ; www.mann-o-meter.de ; Bülowstrasse 106 ; Ⓤ Nollendorfplatz) ou **Schwulenberatung** (hotline pour homosexuels ; ☎ 194 46). Les lesbiennes contacteront **Lesbenberatung** (hotline pour lesbiennes ; ☎ 215 2000).

SORTIES FESTIVES

> Berlin Hilton à nbi (p. 99)
> Café Fatal, Gayhane et MfS à SO36 (p. 109)
> GMF au Café Moskau (p. 61)
> Irrenhouse au Geburtstagsklub (p. 127)
> Klub International au Kino International (p. 61)
> L-Tunes à Schwuz (p. 117)

BARS ANIMÉS

> Heile Welt (p. 147)
> Möbel Olfe (p. 107)
> Roses (p. 107)
> Stiller Don (p. 98)
> Zum Schmutzigen Hobby (photo à droite ; p. 99)

GALERIES D'ART

Depuis la chute du Mur en 1989, Berlin est devenue une capitale du monde de l'art et affiche de nombreuses galeries, un salon annuel (Art Forum Berlin ; p. 29) et une biennale bisannuelle où sont exposées des œuvres d'avant-garde. Attirés par les synergies créatrices, la liberté de pensée qui y règne et le bas prix des loyers, des artistes accourent du monde entier à Berlin – pour le plus grand bonheur des collectionneurs. On s'arrache les œuvres d'artistes tels que Norbert Bisky, Martin Eder, Thomas Demand, Jonathan Meese, Tacita Dean, Monica Bonvicini et Cornelia Schleime, tous installés dans la capitale allemande.

Avec plus de 400 galeries d'art dispersées dans toute la ville, il y a toujours une exposition passionnante à voir quelque part. Aucun quartier ne peut se prévaloir de s'être rendu le spécialiste des galeries d'art, mais vous en trouverez un grand nombre à Charlottenburg sur le Kurfürstendamm (carte p. 129, C3) et dans des rues comme la Mommsenstrasse (carte p. 129, B2) et la Fasanenstrasse (carte p. 129, D3) ; dans l'Auguststrasse à Mitte (carte p. 63, C3) ; et dans la Zimmerstrasse à Kreuzberg (carte p. 111, C1). Certains artistes de la génération montante ouvrent les portes de leurs ateliers : visitez ainsi la **Künstlerhaus Bethanien** (www.bethanien.de) à Kreuzberg et la **Kolonie Wedding** (www.kolonie-wedding.de en allemand) dans le nord de Berlin. Dans les bars et les discothèques, des prospectus indiquent aussi des expositions.

Depuis la création de l'Académie des arts en 1696 par le roi Frédéric Ier, les beaux-arts sont à l'honneur à Berlin. Aujourd'hui, outre des expositions de dimension internationale comme celle du MOMA en 2004, la ville recèle de véritables joyaux : vous verrez à la Pinacothèque (p. 83) plus de Rembrandt que partout ailleurs et la Nouvelle Galerie nationale (p. 84) abrite une collection exceptionnelle d'œuvres des expressionnistes allemands. Les amateurs d'art contemporain se rendront d'abord à la gare de Hambourg (p. 78), dont une aile entière est consacrée à Joseph Beuys. Le musée Berggruen (p. 132) expose de nombreux Picasso, tandis que l'Ancienne Galerie nationale (p. 44) fait la part belle à Caspar David Friedrich. Les œuvres d'art berlinoises du XXe siècle sont exposées à la Berlinische Galerie (p. 112).

Vous trouverez toute l'actualité artistique dans les magazines *Tip* (www.tip-berlin.de) et *Zitty* (www.zitty.de), ou encore sur http ://berlin.art49.com. Les germanophones se référeront aussi à www.indexberlin.de, www.art-in-berlin.de et www.kunstmagazinberlin.de.

LE MEILLEUR DE L'ART BERLINOIS
> Berlinische Galerie (p. 112)
> Contemporary Fine Arts (p. 68)
> Galerie Eigen + Art (p. 68)
> Galerie Michael Schultz (p. 136)

LES GALERIES SPECTACULAIRES
> Gare de Hambourg (p. 78)
> Martin-Gropius-Bau (p. 114)
> Nouvelle Galerie nationale (p. 84)

L'ART AVANT-GARDISTE
> Gare de Hambourg (p. 78)
> Maison des Cultures du monde (p. 79)
> Kunst Werke (p. 65)

LES PETITS BIJOUX
> Ancienne Galerie nationale (p. 44)
> Musée Berggruen (p. 132)
> Musée de la Photographie – collection Helmut-Newton (p. 131)
> Collection DaimlerChrysler (p. 84)

Ci-contre Maison des Cultures du monde **Ci-dessus** Sculpture devant la Nouvelle Galerie nationale

LE BERLIN JUIF

Dans les années 1990, la communauté juive de Berlin, alimentée par l'arrivée massive d'immigrants juifs russes, a connu la plus forte croissance au monde. Elle compte aujourd'hui environ 13 000 membres, dont 1 000 appartiennent à la congrégation orthodoxe d'Adass Yisroel. De nombreux Juifs n'étant pas inscrits auprès d'une synagogue, la population totale pourrait même atteindre le double.

La communauté possède huit synagogues, deux bains rituels mikvah, plusieurs écoles, de nombreuses institutions culturelles et quelques restaurants et boutiques kascher. Le dôme doré de la Nouvelle Synagogue (photo ci-dessus ; p. 66) dans l'Oranienburger Strasse est le signe le plus visible du renouveau juif ; cette synagogue n'est pas seulement un lieu de culte, mais aussi un centre communautaire et un lieu d'expositions. De l'autre côté de la ville, à Kreuzberg, le Musée juif (p. 114), impressionnant édifice de Daniel Libeskind, retrace les deux mille ans d'histoire tumultueuse des Juifs allemands.

Les documents historiques attestent que les premiers Juifs qui s'établirent à Berlin arrivèrent en 1295 ; ils pouvaient, à la différence des chrétiens, pratiquer le prêt. Tout au long du Moyen-Âge, ils furent tenus pour responsables de tous les maux économiques ou sociaux. Lorsque la peste frappa la ville en 1348 et 1349, les Juifs, accusés d'avoir empoisonné les puits, furent les victimes du premier grand pogrom.

En 1510, trente-huit Juifs furent torturés et brûlés en public pour avoir prétendument volé une hostie : les aveux du véritable coupable (chrétien) avaient été jugés trop spontanés pour être vrais.

Ce fut par intérêt financier, et non par humanisme, que le Grand Électeur, Frédéric-Guillaume, invita cinquante familles juives expulsées de Vienne à s'installer à Berlin en 1671. Il étendit plus tard son offre à tous les Juifs, les autorisant en outre à pratiquer leur foi, chose rare en Europe à cette époque. Le plus ancien cimetière juif de Berlin, l'Alter Jüdischer Friedhof (p. 64) dans la Grosse Hamburger Strasse, vit le jour à cette période.

C'est là que repose, entre autres, le grand philosophe Moses Mendelssohn, qui arriva à Berlin en 1743. Ses idées progressistes et son militantisme ouvrirent la voie à l'édit d'émancipation de 1812, qui conférait la pleine citoyenneté prussienne aux Juifs et leur accordait l'égalité des droits et des devoirs. À la fin du XIXe siècle, les Juifs représentaient 5% de la population de Berlin, et une grande partie d'entre eux étaient devenus totalement allemands, tant par la langue que par l'identité.

À la même époque, des Juifs hassidim qui fuyaient les pogroms perpétrés en Europe orientale arrivèrent à Berlin et s'installèrent dans le quartier de Scheunenviertel. Aujourd'hui huppé, c'était alors un quartier misérable peuplé d'immigrants pauvres. En 1933, la population juive de Berlin avait atteint quelque 160 000 personnes et rassemblait un tiers de tous les Juifs d'Allemagne. La plupart s'exilèrent pour fuir l'horreur du régime nazi, mais 55 000 en furent victimes. Seuls 1 000 à 2 000 Juifs berlinois auraient survécu jusqu'à la fin de la guerre, souvent avec l'aide de voisins non-Juifs.

Parmi les nombreux monuments érigés à Berlin en leur hommage, le principal est le mémorial des Juifs d'Europe victimes du génocide pendant la Seconde Guerre mondiale (aussi appelé mémorial de l'Holocauste ; p. 48) qui se dresse à côté de la porte de Brandebourg. L'exposition Topographie des Terrors (p. 114) a été installée en plein air sur le site de l'ancien commandement central nazi, afin de toujours rappeler au monde les atrocités du IIIe Reich.

Depuis la réunification, la communauté juive de Berlin est plus active, et de nombreuses manifestations culturelles attirent des Juifs comme des non-Juifs. Tout particulièrement recommandé, le festival **Jüdische Kulturtage** (journées culturelles juives ; www.juedische-kulturtage.org en allemand) se tient chaque année fin octobre depuis 1987. Le théâtre juif **Bamah** (www.bamah.de en allemand) présente depuis 2001 des pièces, des cabarets, des chansons traditionnelles et des lectures. D'excellentes visites guidées du Berlin juif (en anglais) sont proposées par **Milk & Honey Tours** (www.milkandhoneytours.com). Pour en savoir plus, consultez www.berlin-judentum.de.

LE MUR DE BERLIN

Pendant près de vingt-huit ans, rien n'a plus puissamment symbolisé la guerre froide que le mur de Berlin, qui divisait la ville, mais isolait aussi un monde d'un autre. Sa construction débuta peu après minuit le 13 août 1961, lorsque des soldats et policiers est-allemands commencèrent à encercler Berlin-Ouest de barbelés, bientôt remplacés par du béton. Les rues se trouvèrent soudain coupées en deux et la circulation des voitures et de l'U-Bahn entre les deux moitiés de la ville s'interrompit, interdisant aux Allemands de l'Est l'accès à Berlin-Ouest, même s'ils y travaillaient.

Tentative désespérée du gouvernement de la RDA, le mur de Berlin devait mettre un terme à l'exode qui avait déjà privé l'Allemagne de l'Est de 3,6 millions de personnes, principalement jeunes ou qualifiés, depuis 1949, et qui menaçait l'équilibre économique et politique du pays. La communauté internationale s'attendait à une réaction de la RDA. De là à emprisonner son propre peuple… Quelques mois avant cette funeste journée d'août, Walter Ulbricht, dirigeant de la RDA, avait affirmé : "Personne n'a l'intention de construire un mur."

C'était un mensonge. Baptisé par euphémisme "barrière de protection anti-fasciste", ce sinistre symbole de l'oppression s'étendait sur 155 km. Dans cet océan de dictature socialiste, Berlin Ouest faisait figure d'îlot démocratique. Le mur de béton pénétrait dans le cœur de la ville sur environ 43 km ; sans cesse amélioré, il devint un système complexe de sécurité frontalière. Ses blocs de béton, que l'on pouvait toucher ou peindre du côté occidental, côtoyaient une "zone mortelle" de barbelés, de chiens, de miradors et de gardes-frontière la main sur la gâchette. À l'Est se dressait un autre mur, l'*Hinterlandmauer* (mur intérieur).

Plus de 5 000 personnes tentèrent de passer, mais 1 600 seulement y parvinrent ; la plupart des autres furent capturées, et 191 exécutées (la première quelques jours après le 13 août). Le système apparut dans toute sa cruauté le 17 août 1962, lorsque Peter Fechtner, âgé de 18 ans, fut blessé alors qu'il tentait de s'enfuir et mourut sous les yeux des gardes est-allemands. La dernière victime tomba six mois avant la chute du mur.

En septembre 1989, la RDA connut une seconde vague d'émigration, cette fois *via* la Hongrie qui avait ouvert sa frontière avec l'Autriche. Le 9 novembre, le porte-parole de la SED (Sozialistische Einheitspartei Deutschlands, Parti socialiste unifié d'Allemagne), Günter Schabowski, annonça à la télévision de la RDA que les restrictions de voyages vers la RFA étaient levées. Des dizaines de milliers de personnes se précipitèrent à la frontière, où les Berlinois de l'Ouest les attendaient avec du champagne. Le démantèlement du Mur ne tarda pas. Aujourd'hui, des tronçons du Mur (1,5 km au total) demeurent, pour témoigner de cette époque, mais aussi du triomphe de la liberté sur l'oppression. Mémoriaux, musées et panneaux rappellent également ce chapitre sombre, mais essentiel de l'histoire allemande.

Depuis 1989, les deux Berlin se sont visuellement fondus à tel point que seul un œil averti distingue encore l'Est de l'Ouest. Heureusement, une double rangée de pavés indique encore l'emplacement du mur de Berlin. Aux lieux stratégiques, des panneaux en quatre langues rappellent les principaux événements qui s'y produisirent. **Fat Tire Bike Tours** (www.fattirebiketoursberlin.com) propose des visites du Mur. Les plus ambitieux loueront un vélo et suivront le Berliner Mauerweg (sentier du mur de Berlin), qui parcourt les 155 km de l'ancienne frontière autour de Berlin-Ouest.

Pour tout savoir sur le mur de Berlin, consultez www.stadtentwicklung.berlin.de/denkmal (dans Berlin, sélectionnez Denkmale, puis Berliner Mauer) ou www.berlin.de/mauer (en allemand).

LE MEILLEUR DU MUR

- > East Side Gallery (photo ci-dessus ; p. 120)
- > Haus am Checkpoint Charlie (p. 112)

DISCOTHÈQUES

Berceau de la musique techno, paradis de l'électro, Berlin est la reine des discothèques. Que vous soyez plutôt branché(e) house, techno, drum'n'bass, punk, britpop, dancehall, ska ou reggae, vous trouverez toujours une boîte à votre goût, et cela, tous les jours de la semaine. Avec une telle concentration de DJ, la programmation est généralement fantastique.

Les critères d'admission y sont plus souples que dans la plupart des autres villes européennes. Un look original est souvent plus apprécié qu'un costume Armani, et l'âge importe peu, du moment que vous affichez la bonne attitude.

Où que vous alliez, attendez 1h du matin : inutile d'arriver avant. Les soirées se poursuivent souvent jusqu'à l'aube, mais dans certaines boîtes, comme le Berghain/Panoramabar, c'est seulement vers 4h du matin que la fête bat son plein. Il est de bon ton de poursuivre les festivités le jour suivant dans des afters, si bien qu'il est tout à fait possible de rester dehors pendant tout le week-end.

Pour ne rien manquer des actualités, les magazines *Zitty, Tip* ou *030* répertorient les soirées. Dans les boutiques, les cafés et les bars, des collections de flyers vous indiquent aussi les bons plans. Les germanophones se rendront sur www.clubcommission.de. Voir aussi p. 14.

LES MEILLEURES FÊTES LE...

Lundi SO36 (p. 109)
Mardi Cookies (p. 54)
Mercredi Clärchens Ballhaus (p. 74)
Jeudi Week-End (p. 61)
Vendredi White Trash Fast Food (p. 75)
Samedi Berghain/Panoramabar (p. 126)
Dimanche Club der Visionäre (p. 109)

LES MEILLEURES DISCOTHÈQUES POUR...

Les afters Club der Visionäre (p. 109)
Les DJ stars Watergate (p. 109)
Côtoyer des célébrités Cookies (p. 54)
Jouer les hédonistes Berghain/Panoramabar (p. 126)
La vue Week-End (p. 61)

LE BERLIN COMMUNISTE

La République démocratique allemande (RDA), ou Allemagne de l'Est, est le seul pays à avoir voté sa propre disparition. Née de la zone d'occupation soviétique, elle a été dirigée tout au long de son existence, entre 1949 et 1990, par un régime d'influence marxiste-léniniste ne tolérant aucune voix dissidente.

Maintenant sa population dans un état constant de terreur afin de conserver la mainmise sur le pouvoir, le gouvernement de la RDA créa la tentaculaire Stasi (ministère de la Sécurité d'État). En 1989, ce réseau d'espions rassemblait 91 000 employés à plein temps, auxquels s'ajoutaient les 173 000 informateurs recrutés au sein de la population et chargés de dénoncer leurs collègues, amis et même conjoints.

Le musée de la Stasi (p. 121) occupe les locaux de l'ancien ministère dans l'est de Berlin. On y découvre que, lorsqu'il s'agissait d'identifier des dissidents, rien n'arrêtait l'organisation. L'une des méthodes les plus surprenantes était la conservation des odeurs corporelles d'un suspect. Des échantillons prélevés durant les interrogatoires étaient placés dans des bocaux hermétiques en verre. Plus tard, pour identifier l'individu en question, des chiens renifleurs, spécialement entraînés, entraient en action. Les suspects finissaient souvent dans la tristement célèbre prison de la Stasi (p. 121) à Hohenschönhausen.

Seuls 250 agents ont été poursuivis depuis 1990 et, comme le délai de prescription expirait en 2000, aucun autre procès n'aura sans doute lieu.

L'omniprésence de la Stasi est dépeinte dans *La Vie des autres*, film passionnant récompensé en 2006 par un Oscar. Certaines scènes ont été tournées dans le ministère et à la prison.

Le bureau d'Erich Mielke, chef de la Stasi, au musée de la Stasi (p. 121)

OÙ PRENDRE UN VERRE

Berlin est un paradis pour les piliers de bar. Pubs chaleureux, bars de plage au bord de la rivière, *Biergarten* à l'abri des châtaigniers, repaires souterrains, bars à DJ, élégants bars d'hôtels ou temples design pour amateurs de cocktails, la variété est telle que chacun y trouvera son compte. Généralement les lieux les plus branchés et les plus nouveaux sont à l'Est, tandis que l'Ouest concentre les adresses plus chic et plus propices aux rendez-vous galants. L'accent est mis sur le style et l'ambiance, et les propriétaires rivalisent de créativité. Le nombre de bars qui paraissent tout droit sortis d'un film de Stanley Kubrick est tel que l'on s'en lasserait presque.

La frontière entre cafés et bars est souvent floue, et certaines adresses se métamorphosent le soir. Si vous souhaitez commencer tôt, l'alcool est servi toute la journée. Certains bars ouvrent leurs portes à partir de 18h ou de 20h, et ne ferment qu'au départ des derniers clients. Les happy hours sont assez courantes, notamment dans le touristique Mitte et l'estudiantin Friedrichshain.

La bière demeure la boisson préférée des Berlinois, mais vous trouverez aussi des cocktails en tout genre, du Prosecco (sur glaçons), d'excellentes vodkas et de diaboliques breuvages à base d'absinthe.

LES MEILLEURES ADRESSES POUR…

Boire le jour Freischwimmer (p. 105)
Boire jusqu'à l'aube Bergstübl (p. 72)
Une ambiance sophistiquée Galerie Bremer (p. 139)
Se croire à la plage Strandbar Mitte (p. 53)
Boire caché Rosa Bar (p. 107)
Le décor provocateur Zum Schmutzigen Hobby (p. 99)
La vue Solar (p. 117)

LES BARS RÉTRO

> Bar Gagarin (p. 97)
> CSA (p. 125)
> Künstliche Beatmung (p. 126)
> Universum Lounge (p. 140)

MODE

Oubliez Paris et Londres : Berlin est devenu une étape incontournable du monde des défilés. Loin des Prada et des Escada, une jeune génération de créateurs rivalise d'audace. Séduits par les loyers à bas prix, le climat d'émulation et les innombrables possibilités d'expérimentation, quelque huit cents créateurs ont développé une mode ultracontemporaine, urbaine, non conformiste, insolente, bref, proprement berlinoise. Le monde entier est en train de prendre conscience de cette mutation. L'Unesco a proclamé Berlin capitale du Design en 2006 ; la première édition de la Fashion Week Berlin (première manifestation internationale consacrée à la mode en Allemagne) s'est tenue à la porte de Brandebourg en juillet 2007, sous l'égide de Mercedes-Benz.

Les amateurs apprendront tout des défilés berlinois sur **Berliner Klamotten** (www.berlinerklamotten.com), qui représente environ 140 marques locales et qui vient d'ouvrir une salle dans les Hackesche Höfe (p. 64). Pour faire vos achats en ligne, essayez www.styleserver.de (en allemand).

Malgré l'ouverture de nombreux magasins de grandes marques internationales, Scheunenviertel demeure l'épicentre des boutiques de créateurs où dénicher des pièces introuvables. Vous pouvez aussi chercher du côté de la Kastanienallee (carte p. 89, B4), à Prenzlauer Berg, et de la Wühlischstrasse (carte p. 119, E3), dans Friedrichshain, qui est proche de Berlinomat (p. 122), le tout premier magasin de créateurs de Berlin.

LE MEILLEUR DE LA MODE BERLINOISE

> Berliner Klamotten (p. 67)
> Berlinomat (p. 122)
> East Berlin (p. 92)
> Thatchers (p. 93)

LES ACCESSOIRES LES PLUS ORIGINAUX

> IC ! Berlin (p. 68)
> Michaela Binder (p. 68)
> Ta(u)sche (p. 93)

ENFANTS

Voyager à Berlin avec votre famille peut devenir un véritable jeu d'enfants : la ville regorge d'attractions. Tous les quartiers possèdent des parcs et des aires de jeux, en particulier Prenzlauer Berg, qui s'ennorgueillit du taux de natalité le plus haut du pays. L'immense Tiergarten convient idéalement aux pique-niques ou à une balade en bateau sur le lac Neuer See.

Le zoo (p. 134) abrite Knut, le célèbre ours blanc, un corral où l'on peut approcher les animaux et une aire de jeux d'aventures. L'aquarium voisin est apprécié, mais mieux vaut lui consacrer une autre journée.

Les amis des poissons ne manqueront pas Sea Life Berlin (p. 58), idéal pour les tout-petits, ainsi que le nouveau Legoland Discovery Centre (p. 83).

Certains musées conviennent aussi aux enfants : le Muséum d'histoire naturelle (p. 66) avec son dinosaure géant ; le musée allemand des Techniques (p. 113), plein d'avions, de trains et d'automobiles ; et enfin Haus am Checkpoint Charlie (p. 112), où ils joueront les espions et apprendront à s'évader. Même les institutions pour "grands" proposent des activités pédagogiques : cours de maquillage de la reine Néfertiti à l'Ancien Musée (p. 44) et découverte de l'architecture singulière du Musée juif (p. 114).

Les enfants peuvent aussi visiter la partie est de Berlin à bord d'un pittoresque engin de la RDA, au cours du Trabi Safari (p. 184). Vous gagnerez enfin quelques points auprès de vos ados en les emmenant faire le Fritz Music Tour (p. 184). Vous pourrez trouver d'autres idées sur www.visitberlin.de ou www.travelforkids.com.

Des enfants jouent au pied de la statue de Käthe Kollwitz sur la Kollwitzplatz (p. 90)

MUSÉES

Tout commença avec l'Ancien Musée. Conçu par Schinkel en 1830, il fut le premier d'une longue lignée de musées : de l'Art déco à l'agriculture, du sexe au sucre, des diamants aux dinosaures, les 175 musées de la ville sont de vraies mines. Et ce n'est pas fini ; de nouvelles institutions ouvrent sans cesse : le musée de l'Histoire allemande (Deutsches Historisches Museum), le musée Bode (p. 45) et le musée Kennedy (p. 49). La *Currywurst* et le surréalisme devraient également bientôt être à l'honneur.

Les trésors berlinois, en particulier ceux qui nous viennent du passé, attirent plus de 11 millions de visiteurs, fascinés par la reine Néfertiti à l'Ancien Musée (p. 44), et par l'immense autel de Pergame au musée éponyme (p. 50). Tous deux sont situés sur l'île des Musées (Museumsinsel), site classé par l'Unesco depuis 1999 ; les travaux de rénovation (s'élevant à 1,5 milliard d'euros) correspondent à l'investissement le plus important dans un projet culturel européen.

Les férus de musées peuvent faire des économies grâce à la carte SchauLust Museen Berlin (p. 187). La *Lange Nacht der Museen* (p. 29), nuit des musées, a lieu deux fois par an. Lisez également la rubrique Galeries d'art (p. 156).

DES MUSÉES À PART

- > Musée Ramones (p. 114)
- > Musée berlinois de l'Histoire de la médecine (p. 78)
- > Musée de la RDA (photo à droite ; p. 58)
- > Musée de la Stasi (p. 121)

LES MUSÉES INDISPENSABLES

- > Ancien Musée (p. 44)
- > Musée juif (p. 114)
- > Musée de Pergame (p. 50)

MUSIQUE

Reflet du dynamisme de la ville, la scène musicale de Berlin est inventive, changeante et métissée. Il n'existe pas "un" son berlinois, mais de nombreuses tentatives qui se développent en parallèle : reggae/ragga rythmé de Seeed, mélodies plus douces de 2raumwohnung, nu-jazz de Micatone, musique au tempo apaisé de Jazzanova ou hip-hop agressif de Bushido.

Comptant au moins 2 000 groupes en activité, d'innombrables DJ et des dizaines de labels indépendants, dont !K7, Kitty-Yo, Bpitch Control et MFS, Berlin est sans conteste la capitale allemande de la musique et dégage 60% des bénéfices de cette industrie (contre 8% en 1998). En 2002, Universal Music y a installé son siège européen, auparavant situé à Hambourg, suivi par MTV en 2004 et Popkomm, l'un des premiers salons musicaux au monde.

Berlin a depuis longtemps exercé une fascination sur les musiciens. Iggy Pop, David Bowie, Depeche Mode et U2 ont tous enregistré leurs albums essentiels aux légendaires Studios Hansa (carte p. 81, F3), que Bowie appelait le *"big hall by the Wall"* (" le grand hall près du Mur"). Rammstein, Die Ärzte, Wir Sind Helden, ainsi que d'autres groupes allemands de renom viennent de Berlin. Les concerts sont répertoriés dans *Zitty* ou *Tip* , et en ligne sur www.dorfdisco.de, www.freshmilk.de (en allemand) et www.soundmag.de (en allemand).

POUR DÉCOUVRIR DE NOUVEAUX TALENTS

- > Knaack (p. 99)
- > Magnet (p. 99)
- > SO36 (photo à droite ; p. 109)

POUR ÉCOUTER DES GROUPES EN TOURNÉE

- > Arena (p. 117)
- > Columbiahalle (p. 117)
- > Lido (p. 109)
- > Wild at Heart (p. 109)

SEXE ET FÉTICHISME

Un escalier mène à une grande salle baignée de lumière rouge et or, et bordée par un long bar. Sur la piste, la foule danse sur un rythme techno. L'atmosphère est détendue, amicale, décomplexée. Un seul indice : les clients arborent du latex, des corsets sans bonnets, des capes et autres panoplies. Certains en sont aux préludes, pendant que des écrans géants diffusent des films pornos ou du live. D'autres ont déjà gagné les lits disposés à l'étage ou les salles du fond, équipées de jouets, de baignoires et même d'une chaise de gynécologue...

Bienvenue à l'Insomnia (p. 148), une discothèque érotique à laquelle préside la sculpturale Dominique (voir p. 145) et où décadence et libertinage sont les mots d'ordre. Si les clubs érotiques ont souvent la préférence des gays, des institutions telles que l'Insomnia et le Kit Kat Club (p. 148) permettent aux hétéros, gays, lesbiennes, bisexuels et autres curieux d'assouvir leurs fantasmes en toute sécurité (à défaut d'intimité). Étonnamment, l'ambiance n'a rien de sordide ; en revanche, il vous faudra laisser vos inhibitions avec la plupart de vos vêtements au vestiaire. Si vous n'êtes pas porté(e) sur le fétichisme, habillez-vous sexy ; pour les hommes, un pantalon moulant et une chemise échancrée (accessoire) feront l'affaire. Comme partout, les couples et les groupes de filles rentrent plus facilement. Et n'oubliez pas : sortez couverts !

Performeuses de la Love Parade en plein bronzage intégral

SHOPPING

À Berlin, le conformisme n'est pas de mise, et c'est aussi vrai pour les achats : la multitude de petites boutiques vintage valent mieux que les centres commerciaux. Il suffit de sortir des grandes avenues et d'explorer les quartiers, ou *Kieze,* comme disent les Berlinois. Chacun possède un style, une identité propres et rassemble un choix de boutiques à la mesure des besoins, des goûts et des comptes en banque de leurs habitants.

Charlottenburg est connu pour les bijoux et la haute couture, Kreuzberg pour ses frippes et Schöneberg pour la déco d'intérieur. La cosmopolitaine Friedrichstrasse rassemble les enseignes internationales, pendant que Scheunenviertel et Prenzlauer Berg accueillent les créateurs berlinois en vogue. Parmi les achats les plus courus, on peut noter les sacs, les chocolats, les lunettes, les bonbons et les bijoux, et tout cela fabriqué à Berlin.

Les "victimes de la mode" ne sont pas oubliées. Berlin a son chapelet de grandes marques, de chaînes internationales et de centres commerciaux. Le Kurfürstendamm (carte p. 129, C3) et la Tauentzienstrasse (carte p. 129, E2) en comptent un grand nombre. L'énorme KaDeWe (p. 144) attire les acheteurs depuis un siècle, et le nouveau géant Alexa, près de l'Alexanderplatz, devrait ouvrir ses portes fin 2007.

La TVA atteint 19%, mais les prix sont inférieurs à de nombreuses capitales européennes. Lisez aussi la rubrique Mode (p. 165).

LE CHOIX DU BIZARRE

- 1. Absinth Depot Berlin (p. 66)
- Ausberlin (p. 59)
- Harry Lehmann (p. 136)
- Intershop 2000 (p. 122)
- Killerbeast (p. 102)

LES MARCHÉS ATTRACTIFS

- Flohmarkt am Mauerpark (p. 92)
- Kollwitzplatzmarkt (p. 94)
- Türkenmarkt (p. 105)

LES MEILLEURES ADRESSES POUR LES GOURMANDS

- Bonbonmacherei (p. 68)
- Confiserie Melanie (p. 134)
- Pazianas Olivenöl (p. 93)

LECTURES EN TOUT GENRE

- Another Country (p. 115)
- Berlin Story (p. 51)
- Dussmann – Das Kulturkaufhaus (p. 51)

>HIER ET AUJOURD'HUI

C'est la fête à SO36 (p. 109)

HIER ET AUJOURD'HUI

HISTOIRE

Comparé au reste de l'Allemagne, Berlin a fait une entrée tardive sur la scène historique, au terme de plusieurs siècles de relative obscurité. Fondée au XIIIe siècle comme comptoir commercial, la ville fusionna avec celle de Cölln, de l'autre côté de la Spree, en 1307. Après que le puissant clan des Hohenzollern d'Allemagne méridionale s'empara du pouvoir en 1411, elle gagna une certaine importance, du moins jusqu'au XVIIe siècle, lorsqu'elle fut saccagée pendant la guerre de Trente Ans (1618–1648). Seuls 6 000 habitants (soit environ la moitié de la population) survécurent au pillage et à la famine.

C'est au lendemain de la guerre que Berlin goûta pour la première fois au cosmopolitisme. Maniant habilement la mixité sociale, l'Électeur Frédéric-Guillaume (appelé "Grand Électeur" ; règne 1640–1688) décida d'accroître le nombre de ses sujets en invitant des étrangers à s'installer à Berlin. Des familles juives affluèrent de Vienne, mais la plupart des nouveaux arrivants étaient des réfugiés huguenots venus de France. En 1700, un Berlinois sur cinq était d'origine française.

L'Électeur Frédéric III, fils du Grand Électeur, présidait à une cour animée et intellectuelle, mais nourrissait aussi de vastes ambitions politiques. En 1701, il se promut simplement roi Frédéric Ier de Prusse, établissant la résidence royale à Berlin, capitale du nouvel État de Brandebourg-Prusse.

Son fils, Frédéric-Guillaume Ier (règne 1713–1740), jeta les bases de la puissance militaire prussienne. Le roi, militariste forcené, consacra la majeure partie de sa vie à mettre sur pied une armée de 80 000 hommes, notamment en instituant la conscription (déjà très impopulaire à l'époque), allant jusqu'à convaincre les autres dirigeants de lui vendre des soldats. Il est entré dans l'histoire sous le surnom de *Soldatenkönig* (Roi-Sergent).

Ironie du sort, ses soldats ne combattirent que lorsque son fils, Frédéric II (dit Frédéric le Grand ; règne 1740–1786) arriva sur le trône en 1740. Frédéric lutta bec et ongles pour arracher la Silésie à l'Autriche et à la Saxe. Lorsqu'il n'était pas sur le champ de bataille, Frédéric II aspirait à la grandeur ; il nourrissait un intérêt vif pour l'architecture et les idéaux des Lumières. Berlin, qui accueillait alors certains des plus grands penseurs de l'époque (Gotthold Ephraim Lessing et Moses Mendelssohn, entre autres), devint un centre culturel florissant ; on l'appelait même "Athènes sur la Spree".

Le décès de Frédéric le Grand marqua pour la Prusse une période noire, dont l'événement le plus dramatique fut la défaite que lui infligea Napoléon en 1806. Les Français marchèrent triomphalement sur Berlin le 27 octobre pour repartir deux ans plus tard, après avoir pillé la ville. Pendant la période post-napoléonienne, la vague de réformes qui balayait l'Europe atteignit Berlin. Toute cette agitation engendrant peu de changement au sommet, Berlin se joignit en 1848 aux autres villes allemandes pour participer à une révolution démocratique bourgeoise. Malheureusement, le pays n'était pas prêt, et le *statu quo* fut rapidement restauré.

À la même époque, Berlin fut gagnée par la révolution industrielle ; des entreprises comme Siemens et Borsig favorisèrent la croissance de la ville, et une nouvelle classe ouvrière fut engendrée, accompagnée de partis politiques qui la représentaient, comme le Parti social-démocrate (SPD). La prospérité de Berlin était politique, économique et culturelle, en particulier après qu'elle fut devenue capitale du Reich en 1871. En 1900, la population atteignait la barre des deux millions.

Une fois encore, la guerre mit fin à cette opulence. Au lendemain de la Première Guerre mondiale, la capitale se trouva au cœur d'une lutte de pouvoir entre monarchistes, spartakistes d'extrême gauche et démocrates. Malgré la victoire de ces derniers, la république de Weimar (1920–1933) fut marquée par l'instabilité, la corruption et l'inflation. En réaction, les Berlinois optèrent pour l'épicurisme ; le mélange de décadence et de créativité qui régnait alors n'est pas sans évoquer le Berlin contemporain. Les artistes de tout crin affluèrent dans cette ville de cabarets, où les dadaïstes côtoyaient les jazzmen.

L'arrivée d'Hitler au pouvoir fut une douche froide. Berlin fut lourdement bombardée durant la Seconde Guerre mondiale, puis submergée par 1,5 million de soldats soviétiques durant l'ultime bataille de Berlin, en avril 1945. Pendant la guerre froide, les hostilités entre Américains et Soviétiques culminèrent : le blocus de Berlin de 1948 et la construction du Mur en 1961 furent les étapes décisives du conflit. Pendant quarante ans, Berlin-Est et Berlin-Ouest vécurent comme deux villes totalement séparées.

Après la réunification, Berlin est redevenu la capitale allemande en 1990, et a accueilli le siège du gouvernement en 1999. La réunification des deux moitiés de la ville s'est malheureusement révélée aussi douloureuse que coûteuse. La mauvaise gestion, les dépenses et la corruption sonnèrent le glas du gouvernement de centre-droit et eurent pour conséquence l'élection au poste de maire de Klaus Wowereit, charismatique social-démocrate, en 2001. Malgré son programme de réduction des dépenses et de promotion de la ville à l'intention des entrepreneurs, la balance des paiements peine à se redresser (voir aussi la rubrique Gouvernement et politique, p. 176) ; il a toutefois été réélu aux élections de 2006.

Autres sujets de débats : le multiculturalisme et l'intégration des immigrés. Début 2005, les Berlinois ont été profondément choqués par une vague de "crimes d'honneur" visant de jeunes musulmanes souhaitant adopter un mode de vie occidental. En mars 2006, un groupe d'enseignants a soulevé une polémique dans tout le pays en demandant la fermeture de leur établissement : ils affirmaient ne plus être en mesure de prévenir la violence entre les élèves, pour la plupart d'origine étrangère.

Toutefois, ne soyons pas pessimistes. La mode, le design et le tourisme sont en plein essor. Artistes et créateurs affluent par milliers et génèrent une ambiance dynamique, inspirée et cosmopolite. Durant l'été 2006, la ville entière s'est passionnée pour la Coupe du monde et a réservé aux fans de foot-ball de tous les pays un accueil enthousiaste. En septembre de la même année, après quatorze ans de désaccords, a enfin débuté le chantier de l'aéroport international de Berlin, qui devrait ouvrir en 2011 et créer 40 000 emplois.

VIVRE À BERLIN

En comparaison des autres capitales, la vie quotidienne semble moins frénétique. Les bus et les trains sont rarement bondés et la circulation est plus fluide. On peut appeler un restaurant pour réserver le jour même et les discothèques sont généralement accessibles au plus grand nombre.

Les Berlinois affichent une rafraîchissante simplicité et un souci d'égalité. Inutile de sortir votre costume Armani ou votre sac Gucci : un style personnel sera bien plus apprécié. À la fortune et au statut social, le Berlinois préfère une vie agréable entouré d'amis, en profitant des innombrables sorties culturelles et des promenades auxquelles la ville invite.

BIENVENUE DANS UN MONDE SANS TABAC

Dès janvier 2008, à Berlin et dans toute l'Allemagne, les non-fumeurs pourront souffler. Une nouvelle loi antitabac devrait en effet entrer en vigueur qui interdira la cigarette dans tous les bâtiments publics, hôpitaux, musées, théâtres et universités. Au moment de la rédaction, on ignorait encore si le gouvernement de Berlin appliquerait cette législation aux restaurants, bars, pubs et discothèques. Une solution consisterait à mettre à la disposition des fumeurs des pièces fermées d'où les serveurs seraient bannis. La nouvelle réglementation portera un coup sévère à un tiers des Allemands adultes qui fument régulièrement. Environ 140 000 d'entre eux meurent chaque année de maladies liées au tabac : c'est davantage que l'alcool, la drogue, le sida et les accidents de la route réunis.

De nombreux Berlinois sont des bons vivants, grands buveurs, gros fumeurs, fêtards invétérés et arborent une totale insouciance à l'égard du sexe et des orientations sexuelles. Rien d'étonnant à ce que les communautés lesbienne, bi, gay, SM et fétichiste comptent parmi les plus importantes en Europe…

La capitale est en permanente effervescence. La semaine de travail est de 38 heures en moyenne, et les Berlinois semblent toujours en mouvement, qu'ils se rendent au bureau, à la gym, au bar, au cinéma ou au théâtre.

Est-ce lié à ce mode de vie ? La famille ne semble pas être une priorité ; de fait, la ville compte plus de 50% de célibataires. La tendance est également aux familles monoparentales ; les enfants dans ce cas sont aussi nombreux que ceux qui vivent avec leurs deux parents.

De manière générale, les habitants sont courtois et relativement serviables envers les voyageurs, et vous trouverez aisément quelqu'un pour vous aider si vous êtes perdu(e). Il n'est toutefois pas évident de se faire des amis ; en public, une certaine réserve est de mise à l'égard des étrangers. Difficile d'engager une discussion dans l'U-Bahn ou dans la queue du supermarché !

Cependant, il est plus facile de nouer la conversation avec les jeunes, notamment dans les quartiers étudiants (sachez que les étudiants allemands, plus âgés qu'ailleurs, passent souvent leurs diplômes vers 28 ans).
En fréquentant régulièrement le même établissement, vous ne mettrez pas longtemps à connaître le personnel et les habitués. Vous serez alors peut-être surpris(e) par la facilité avec laquelle tout un chacun discute de sexe, d'amour, et de la vie en général.

Il est peu probable pour que vous rencontriez un Berlinois né dans la ville : la plupart des habitants viennent d'une autre région d'Allemagne ou du monde.

À FAIRE

- Dire "Guten Tag" en entrant dans une boutique.
- Annoncer son nom au téléphone.
- Garder ses mains sur la table pendant le repas.
- Conserver sur soi une pièce d'identité (carte d'identité ou passeport) : c'est obligatoire.
- Apporter un petit cadeau ou des fleurs lorsque l'on vous invite à manger.

À NE PAS FAIRE

- Parler de la Seconde Guerre mondiale avec un air supérieur.
- Attendre l'addition : il faut la demander.
- Penser pouvoir payer par carte, surtout au restaurant.

Avec 14% de la population représentant 185 nations, Berlin est la ville la plus multiculturelle d'Allemagne. La plupart des immigrés viennent de Turquie, de Pologne, des anciens États de Yougoslavie et des ex-Républiques soviétiques.

Si vous recherchez d'authentiques Berlinois, dirigez-vous vers n'importe quel *Eckkneipe* (pub de quartier) : ils sont là, braillant en dialecte berlinois au-dessus d'un verre de schnaps ou d'une bière, le regard brumeux. On vous aura prévenu(e)...

GOUVERNEMENT ET POLITIQUE

De même que Brême et Hambourg, Berlin est une ville-État. Elle est dirigée par un gouvernement composé d'un *Abgeordnetenhaus* (Parlement, organe législatif) et d'un *Senat* (Sénat, organe exécutif), et présidée par le *Regierender Bürgermeister* (maire gouverneur). Ce dernier fixe les orientations politiques et représente la ville à l'échelle nationale et internationale ; les sénateurs assument un rôle similaire à des ministres : chacun est chargé d'un portefeuille spécifique.

Depuis 2001, Berlin est gouverné par une coalition réunissant le Sozialdemokratische Partei Deutschlands (SPD ; Parti social-démocrate) de centre-gauche et le PDS (Parti du socialisme démocratique) d'extrême gauche. Dirigé par Klaus Wowereit (SPD), maire gouverneur, le gouvernement a hérité d'un casse-tête budgétaire. Après la réunification, Berlin a été privée des confortables subventions fédérales qu'elle touchait jusque-là. En outre, quelque 100 000 emplois ouvriers ont disparu, lorsque des usines déficitaires de Berlin-Est ont fermé leurs portes. Coût pour la ville : 60 milliards d'euros de dettes.

Wowereit a choisi de réduire les dépenses de manière draconienne, mais ces mesures n'ont pas suffi à sortir Berlin d'affaire, d'autant que le taux élevé de chômage grevait les contributions fiscales. Accusé de manque de fermeté, le maire a en outre subi un revers lorsque, en octobre 2006, la Cour constitutionnelle fédérale lui a refusé l'aide financière d'urgence qu'il réclamait.

Wowereit ne s'est pas laissé décourager. Avec son mélange de professionnalisme et de charme, le maire de Berlin, ouvertement gay, est le meilleur avocat de la ville. Universal Music, auparavant situé à Hambourg, a installé son siège allemand à Berlin, imité par MTV ; la société Mercedes-Benz a parrainé la première semaine officielle de la mode du pays en 2007. Le nombre de touristes a explosé, tandis que les jeunes créateurs affluent, attirés par la créativité qui règne à Berlin. Comme dit le maire : "La ville de Berlin est peut-être pauvre, mais elle est sexy."

ARCHITECTURE

Berlin est une création essentiellement moderne. À l'exception de quelques églises gothiques, en particulier l'église Saint- Nicolas et l'église Sainte-Marie (p. 58), rien ne reste de l'époque où la métropole n'était qu'une simple ville commerçante. À mesure de l'expansion de Berlin, les édifices prestigieux se multiplièrent, notamment aux XVIIe et XVIIIe siècles, triomphes des styles baroque et néoclassique. De belles illustrations de ces deux types d'architecture se succèdent sur le grand boulevard Unter den Linden, l'un des rares endroits qui permettent de se représenter la splendeur de Berlin à la grande époque prussienne.

Aucun roi ne marqua d'une plus forte empreinte le centre de Berlin que Frédéric le Grand. Avec Georg Wenzeslaus von Knobelsdorff, son ami d'enfance, il conçut et dirigea la construction du Forum Fridericianum, un ambitieux projet architectural autour de ce qui est aujourd'hui la Bebelplatz (p. 45). Cependant, les nombreuses guerres menées par le roi vidèrent les caisses, et l'ensemble qui devait être formé par plusieurs édifices ne fut jamais achevé.

Unter den Linden arbore aussi l'Ancien Musée (p. 44) et le Neue Wache (p. 49), que l'on doit à Karl Friedrich Schinkel : cet architecte prussien de premier ordre composa un nouveau visage à Berlin au début du XIXe siècle.

Le grand boulevard est interrompu par la porte de Brandebourg (p. 46), œuvre néoclassique de Carl Gotthard Langhans. Pendant vingt-huit ans, le mur de Berlin a longé ce monument emblématique. Lorsque le rideau de fer fut détruit, le vide laissé derrière lui semblait symboliser la vacuité des promesses politiques et lancer un défi : tenter la réunification architecturale

BERLIN EN CHIFFRES

- Population : 3 395 millions, dont 467 000 d'origine étrangère
- Produit Intérieur Brut (PIB) : 78,2 milliards
- Chômage : 19%
- Part des personnes habitant seules : 50,7%
- Revenu annuel par habitant : 32 586 €
- Temps nécessaire à un Berlinois pour acheter un Big Mac : 17 minutes
- Nombre de visiteurs par an : 7,07 millions, dont 2,32 millions venant de l'étranger
- Nuitées : 15,9 millions
- Nombre de musées : 175
- Température moyenne : 9,7°C (chiffres 2006)

des deux moitiés de la ville. Aujourd'hui, l'ancienne ligne de démarcation est bordée d'œuvres dernier cri d'architectes de renommée internationale : Frank Gehry, Renzo Piano, Helmut Jahn et Rafael Moneo, entre autres. Depuis l'Hauptbahnhof flambant neuve, prenez vers le sud et promenez-vous dans le quartier du Gouvernement (p. 76) jusqu'à la Pariser Platz (p. 49) reconstruite, que jouxte le monumental mémorial de l'Holocauste (p.48). De l'autre côté se trouve la Potsdamer Platz (p. 80), quartier à la pointe de la modernité, qui a surgi en moins de dix ans de ce qui était un sinistre *no man's land*.

Avant que le Mur ne partage Berlin en deux, les divisions idéologiques et économiques entre l'Est et l'Ouest se reflétaient déjà dans l'architecture. Les Allemands de l'Est étaient tournés vers Moscou, où Staline affectionnait un style qui se résumait à une réinterprétation socialiste du bon vieux néoclassicisme. Dans l'Ouest démocratique, au contraire, la tendance était au modernisme.

L'un des édifices les plus audacieux de Berlin-Ouest est le Kulturforum, complexe culturel immédiatement à l'ouest de la Potsdamer Platz. La salle de concert de la Philharmonie (p. 87), conçue par Hans Scharoun, et la Nouvelle Galerie Nationale de Mies van der Rohe (p. 84) sont grandioses. À l'Ouest, les édifices reconstruits après la guerre sont loins d'être tous aussi beaux, comme en témoigne le quartier autour de la Kaiser-Wilhelm-Gedächtniskirche (église du Souvenir ; p. 130) à Charlottenburg. Ancien cœur étincelant de Berlin-Ouest, il est surtout caractérisé par ses mornes tours des années 1960, comme l'Europa Center. Malgré quelques tentatives pour insuffler une touche contemporaine, à l'origine d'édifices comme le Neues Kranzler Eck d'Helmut Jahn (carte p. 129, E2), le Kantdreieck de Josef Paul Kleihues (carte p. 129, D2) et la maison Ludwig-Erhard de Nicolas Grimshaw (carte p. 129, E2), l'ensemble ne parvient pas à être harmonieux. Les constructions les plus jolies des environs sont les bâtisses résidentielles du XIXe siècle qui bordent le Kurfürstendamm, les Champs-Élysées berlinois, et ses petites rues.

De l'autre côté du Mur, fruit du désir des dirigeants est-allemands de se doter d'une avenue emblématique, s'étend la Karl-Marx-Allee (p. 120) dans Friedrichshain. Conçu par certains des meilleurs architectes de la RDA, dont Hermann Henselmann, ce "boulevard socialiste" est large de 90 mètres, long de 2,3 kilomètres, et représente le summum de la pompe stalinienne, dont la perle est l'Alexanderplatz (p. 56) entourée d'immeubles massifs. Leur allure à l'austérité toute socialiste n'a été qu'à peine adoucie par de récentes rénovations.

À LIRE

Adieu à Berlin (*Goodbye to Berlin* ; 1980 ; Christopher Isherwood). Ce livre nous propose une brillante vision semi-autobiographique du Berlin des années 1920 par les yeux d'un journaliste anglo-américain gay.

Berlin Alexanderplatz (1929 ; Alfred Döblin). Cette déambulation stylisée dans le Berlin louche des années 1920 est demeurée une référence. Le livre a été adaptée au cinéma en 1931 et en mini-série de 14 épisodes par Rainer Werner Fassbinder en 1980.

Le Complexe de Klaus (*Helden Wie Wir* ; 1998 ; Thomas Brussig). Ce succès de librairie, l'un des premiers romans sur la réunification, décrit sur un ton ironique et poignant une société qui n'est plus.

L'espion qui venait du froid (1964 ; John Le Carré). Ce roman raconte les pérégrinations d'Alex Leamas, espion britannique, dans Berlin au début de la guerre froide. Selon Graham Greene, il s'agit de la meilleure histoire d'espionnage de tous les temps.

L'Innocent (*The Innocent* ;1989 ; Ian McEwan). Un roman d'amour et d'espionnage, qui décrit les affres d'un jeune technicien anglais dans le Berlin d'après-guerre.

London Match (1985 ; Len Deighton). Ce classique de l'espionnage, riche en coups de théâtre, est situé dans le Berlin des années 1980.

Seul dans Berlin (*Jeder stirbt für sich allein* ;1965 ; Hans Fallada). Ce roman retrace le quotidien des habitants d'un immeuble de Berlin pendant la Seconde Guerre mondiale. Primo Levi a dit de cet ouvrage qu'il était "l'un des plus beaux livres sur la résistance allemande antinazie".

À VOIR

Berlin, symphonie d'une grande ville (*Berlin : Sinfonie einer Grosstadt* ; 1927 ; Walter Ruttmann). Ambitieux pour son époque, ce fascinant documentaire muet retrace une journée de la vie à Berlin dans les années 1920.

Cours, Lola, cours (*Lola rennt* ; 1997 ; Tom Tykwer). Lola doit rassembler 100 000 dollars en 20 minutes pour sauver son petit ami. Film dynamique et inventif, représentatif de la génération MTV.

Good Bye, Lenin ! (Wolfgang Becker ; 2003). Immense succès, cette comédie relate l'histoire d'un jeune Berlinois de l'Est qui tente de reproduire la RDA à l'identique pour sa mère après la chute du Mur.

Les Ailes du désir (*Der Himmel über Berlin* ; 1987 ; Wim Wenders). Dans le Berlin d'après-guerre, un ange décide de devenir humain (donc mortel) par amour pour une belle trapéziste. Ce film vous dévoilera toute la poésie de la ville.

La Vie des autres (*Das Leben der Anderen* ; 2006 ; Florian Henckel von Donnersmarck). Couronné d'un Oscar, ce film brillant révèle l'absurdité, l'hypocrisie et le caractère destructeur de la Stasi en mettant en scène la désillusion progressive d'un de ses agents.

HÉBERGEMENT

Il y en a pour tous les goûts : auberges de jeunesse ou pensions, chaînes internationales, temples du design ou appartements indépendants. Pourquoi ne pas dormir dans une ancienne banque, un bateau, une usine de porcelaine, chez une star du cinéma muet, dans un "lit volant" ou même dans un cercueil ? La qualité s'est considérablement améliorée ces dernières années, mais la concurrence est telle que les prix sont plus bas que dans les autres capitales.

Les amateurs de design auront l'embarras du choix : hôtels de charme dans l'air du temps (baignoires dans la chambre et meubles sur mesure). Parmi ces établissements se distinguent les *Kunsthotels* (hôtels d'art), conçus par des artistes et/ou décorés d'œuvres d'art.

Pour goûter aux charmes du vieux Berlin, optez pour les *Hotels-Pensions* , parfois simplement appelés *Pensions*. Occupant habituellement un ou plusieurs étages d'édifices résidentiels historiques, ces établissements dispensent le plus souvent un accueil personnalisé. L'équipement, la taille des chambres et le décor varient, mais certaines adresses, fraîchement rénovées, possèdent une connexion Wi-Fi, la TV par câble et tout le confort moderne.

Presque toutes les chaînes internationales sont représentées dans la capitale allemande, de Ramada au Ritz-Carlton ; même les auberges de jeunesse ont mis l'accent sur le confort et les services, et proposent désormais des chambres individuelles, souvent avec salle de bains, en plus des dortoirs traditionnels.

Berlin dispose d'un excellent système de transport public : où que vous décidiez de vous installer, tout est facile d'accès. Toutefois, si vous préférez marcher jusqu'aux principaux sites, Mitte ou Tiergarten sont plus centraux – et plus chers. Les chaînes de catégorie supérieure se concentrent autour de la Gendarmenmarkt et la Potsdamer Platz, tandis que les ruelles tranquilles au nord d'Unter den Linden et dans le Scheunenviertel rassemblent les adresses plus bohème et les auberges de jeunesse.

Charlottenburg et Wilmersdorf offrent généralement un meilleur rapport qualité/prix et un vaste choix dans la catégorie moyenne. Vous y trouverez un mélange de *Pensions* traditionnelles du vieux Berlin, d'hôtels ultrabranchés et de quelques hôtels d'affaires quatre étoiles.

Kreuzberg, Friedrichshain et Prenzlauer Berg sont conseillés à ceux qui souhaitent loger à proximité des lieux où sortir, mais le choix d'hôtels y est encore assez limité.

CATÉGORIE SUPÉRIEURE

DORINT SOFITEL AM GENDARMENMARKT

203 750 ; www.dorint.de/berlin-gendarmenmarkt ; Charlottenstrasse 50-52 ; s 230-250 €, d 260-280 € ; P ; Französische Strasse

Sur la jolie Gendarmenmarkt, ce cocon de calme et d'élégance allie les attraits d'un hôtel de charme aux services d'un grand hôtel de luxe. Les chambres, à l'image du reste, tiennent d'un savant jeu de marbre, de verre et de lumière.

GRAND HYATT

2553 1234 ; www.berlin.grand.hyatt.com ; Marlene-Dietrich-Platz 2 ; s 230-305 €, d 260-345 € ; P ; Potsdamer Platz

Madonna, Gwyneth Paltrow et Marilyn Manson font partie des stars qui ont dormi, dîné et dansé dans cet hôtel pour VIP. Le luxe s'affiche ici depuis le somptueux hall en cèdre jusqu'à la piscine en terrasse. Les chambres associent confort et touche artistique.

MANDALA HOTEL

590 050 000 ; www.themandala.de ; Potsdamer Strasse 3 ; ste 140-450 € ; P ; Potsdamer Platz

Il est plaisant de séjourner en toute discrétion dans ce havre de paix. Ici, le confort est total et le luxe sans esbroufe. Il y a six catégories de suites, de 40 à 101 m², aménagées pour qui souhaite travailler. Le restaurant a reçu une étoile Michelin, et le bar est l'un des meilleurs de la capitale.

CATÉGORIE MOYENNE

HOTEL ADELE

4432 4350 ; www.adele-hotel.de ; Greifswalder Strasse 227 ; s/d avec petit déj 80/120 € ; ; M4, Am Friedrichshain

Lové entre un café chic et un bistrot, ce bel hôtel design a du caractère. Achetez une bonne bouteille de vin chez le caviste du coin, puis réfugiez-vous dans une chambre aux mille détails délicieux : rideaux diaphanes, têtes de lit en cuir, meubles laqués, et salles de bains de style italien.

HOTEL ASKANISCHER HOF

881 8033 ; www.askanischer-hof.de ; Kurfürstendamm 53 ; s 95-120 €, d 107-165 €, petit déj inclus ; ; Adenauerplatz

Alors que la capitale semble lancée dans la course à l'avant-gardisme, cet hôtel de 17 chambres renvoie directement aux Années folles. La lourde porte en chêne sculpté s'ouvre sur un petit paradis meublé d'antiquités, où les fenêtres sont habillées de dentelle, les chandeliers rivalisent d'élégance et les tapis orientaux semblent d'un autre temps.

HOTEL-PENSION FUNK

☎ 882 7193 ; www.hotel-pensionfunk.de ; Fasanenstrasse 69 ; s 52-82 €, d 82-112 €, s avec sdb commune 34-57 €, d avec sdb commune 52-82 €, petit déj inclus ; Uhlandstrasse, Kurfürstendamm

Si vous recherchez l'insolite et l'authenticité berlinoise, poussez la porte de cette pension de caractère, à proximité du Ku'damm. Jadis résidence de la star danoise du muet Asta Nielsen, célébrée par Apollinaire, le lieu vous transportera dans l'atmosphère des années 1920. Remplie d'antiquités, cette adresse de qualité affiche souvent complet.

KÜNSTLERHEIM LUISE

☎ 284 480 ; www.kuenstlerheim-luise.de ; Luisentrasse 19 ; s 80-95 €, d 120-140 €, avec sdb commune s 48-56 €, d 69-88 €, petit déj 8 € ; Friedrichstrasse

Dans cette "galerie avec chambres", libre à vous de choisir le lit pour géant (chambre 107), les costumes d'astronautes (la 310) ou la peinture de Carl Spitzweg. Chaque chambre reflète le travail d'un artiste, rémunéré en rapport au taux d'occupation de son œuvre. Les amateurs d'art désargentés demanderont une petite chambre sans sdb. Consultez les photos sur le site Internet.

PROPELLER ISLAND CITY LODGE

☎ 891 9016 8h-12h, 0163 256 5909 12h-20h ; www.propeller-island.de ; Albrecht-Achilles-Strasse 58 ; ch 59-180 €, petit déj 7 € ; ; Adenauerplatz

Le plus original des hôtels berlinois a été baptisé d'après un roman *(L'Île à hélice)* de Jules Verne. Chacune des 32 chambres vous embarque dans un monde surréaliste, empreint de l'esprit visionnaire du propriétaire, artiste et compositeur Lars Stroschen. Vous vous réveillerez sur le plafond (dans la chambre "À l'envers"), dans une confortable cellule de prison ("Chambre de la liberté") ou dans un kaléidoscope ("Chambre miroir"). Lars Stroschen a dessiné et fabriqué tous les meubles et accessoires, avec des matériaux recyclés. Il n'y a ni téléphone ni *room service*, mais une bande sonore a été créée pour chacune des chambre, par Lars en personne, bien sûr.

PETITS BUDGETS

BAXPAX DOWNTOWN

☎ 251 5202 ; www.baxpax-downtown.de ; Ziegelstrasse 28 ; dort 13-22 €, draps 2,50 €, s 30-79 €, ch avec lits jum 48-93 €, app 80-140 €, petit déj 4 € ; Oranienburger Tor, Oranienburger Strasse

Ouverte depuis le milieu de l'année 2006, cette auberge de jeunesse a fait franchir une étape à l'hébergement petits budgets, avec son grand jardin, sa discothèque, son sauna et sa terrasse dotée d'une petite piscine aménagée sur le toit. La plupart des chambres sont équipées d'une TV, d'un téléphone et d'un accès Internet.

CIRCUS HOSTEL ROSA-LUXEMBURG-STRASSE

☎ 2839 1433 ; www.circus-berlin.de ; Rosa luxemburg-Strasse 39 ; dort 17-21 €, s/d/lits jum avec sdb commune 33/50/50 €, draps 2 €, s/d avec sdb privée 45/60 €, app 2/4 pers 77/134 €, draps inclus, petit déj 2,50-5 € ; ; Rosa-Luxemburg-Platz

Mention spéciale pour cette auberge du centre-ville au service impeccable. Les chambres et les dortoirs sont propres, joliment décorés et pourvus de lits en pin avec lampes de lecture individuelles. Au rez-de-chaussée, le café-bar-réception constitue le poumon des lieux, et les résidents lient connaissance autour du grand bar ovale. Il en va de même dans le "salon des voyageurs", doté d'un billard, sur la mezzanine. Accès WiFi gratuit.

EAST SEVEN HOSTEL

☎ 9362 2240 ; www.eastseven.de ;Schwedter Strasse 7 ; dort 12-19 €, s 28-30 €, d 40-44 € ; ; Senefelder Platz

Cette auberge familiale, chaleureuse et agréable, est bien située pour profiter de nombreux bars, cafés, restaurants, et même de l'U-Bahn.

Du fait de sa taille modeste, l'ambiance est décontractée et les barrières linguistiques et culturelles tombent très rapidement. La cuisine (avec lave-vaisselle !), le salon rétro et le jardin idyllique à l'arrière sont autant de merveilleux endroits pour faire un brin de causette. Les dortoirs et les chambres au mobilier de pin sont décorées de couleurs vives.

MEININGER CITY HOSTELS

☎ 6663 6100, numéro gratuit 0800 634 6464 ; www.meininger-hostels.de ; Hallesches Ufer 30 et Tempelhofer Ufer 10 ; dort 8 lits 13,50 €, dort 4-5 lits 25 €, s/d/tr 49/66/87 €, draps et petit déj inclus ; P ; Möckernbrücke

Les chambres modernes, certaines avec sdb, sont assez confortables et offrent la qualité de celles d'un petit hôtel. Elles sont réparties dans deux annexes, elles-mêmes séparées par une route fréquentée, le Landwehrkanal et les rails de l'U-Bahn (qui circule à l'air libre sur ce tronçon). De nombreux services sont gratuits (draps, serviettes, casiers et petits déjeuners), mais les fêtards ne trouveront pas forcément l'ambiance à leur goût.

CARNET PRATIQUE

TRANSPORTS

ARRIVÉE ET DÉPART

VOIE AÉRIENNE

Renseignements sur les trois aéroports de Berlin : www.berlin-airport.de ou ☎ 0180-500 0186.

Tegel

À environ 8 km au nord-ouest du centre-ville, l'aéroport de Tegel (TXL) est relié à Mitte par le JetExpressBus TXL (2,10 €, 30 minutes) et au zoo (gare Zoologischer Garten), dans Charlottenburg, par le bus express X9 (2,10 €, 20 minutes). Le bus 109, plus lent, dessert aussi l'ouest de la ville, mais il n'est utile que si vous descendez près du Kurfürstendamm (2,10 €, 30 minutes). Tegel n'est pas desservi directement par l'U-Bahn, mais les bus 109 et X9 marquent l'arrêt à Jakob-Kaiser-Platz (U7), proche de l'aéroport. En taxi, la course coûte entre 18 € et 23 €.

Schönefeld

L'aéroport de Schönefeld (SFX), à environ 20 km au sud-est du centre-ville, est desservi toutes les demi-heures par le train AirportExpress depuis les gares de Zoologischer Garten (30 minutes), Friedrichstrasse (23 minutes), Alexanderplatz (20 minutes) et Ostbahnhof (15 minutes). Ce sont des trains régionaux (RE ou RB), qui apparaissent sous le nom d'AirportExpress sur les horaires. Les trains S9 sont plus fréquents, mais moins rapides (40 minutes depuis Alexanderplatz). La ligne S45 rejoint directement le parc des expositions.

Les trains marquent l'arrêt à environ 400 m des terminaux. Vous pouvez attendre la navette gratuite (toutes les 10 minutes) ou marcher (5-10 minutes)

Les bus 171 et X7 qui partent des terminaux vont jusqu'à la station d'U-Bahn Rudow (U7), où vous pouvez prendre une correspondance pour le centre de Berlin.

Ces trajets coûtent 2,10 €. Le voyage en taxi vaut entre 28 € et 38 €.

Tempelhof

À l'extrémité sud de Kreuzberg, l'aéroport de Tempelhof (THF) est desservi par le U6 (descendre à Platz der Luftbrücke, carte p. 111, B6). Le tarif est de 2,10 €, ou de 10 € à 18 € en taxi. L'aéroport fermera peut-être en 2008, mais la décision n'a pas encore été arrêtée.

COMMENT CIRCULER

Les transports en commun berlinois, étendus et efficaces, comprennent le U-Bahn (métro), le S-Bahn (métro aérien), les bus et les tramways. Dans ce guide, les stations de U-Bahn/S-Bahn/bus/tram les plus proches sont indiquées après les icônes Ⓤ Ⓢ 🚌 🚋. Pour faire votre itinéraire et obtenir des renseignements, appelez le ☎ 194 49 (permanence 24h/24) ou consultez le www.bvg.de (BVG est le principal opérateur de transports en commun de la ville).

Le réseau est réparti en zones tarifaires A, B et C ; les billets sont valables pour les zones AB, BC ou ABC. Tous les sites mentionnés dans ce guide se trouvent dans la zone AB. Le billet, valable deux heures, coûte 2,10 €. Un billet pour des courts trajets (*Kurzstreckenticket,* 1,20 €) permet de parcourir 3 stations d'U-Bahn ou de S-Bahn, ou six arrêts de bus ou tram. Les enfants de 6 à 13 ans bénéficient de tarifs réduits *(ermässigt)*, et les plus jeunes voyagent gratuitement.

Les billets sont vendus aux distributeurs des stations d'U-Bahn ou de S-Bahn, à bord des trams, auprès des chauffeurs de bus et aux guichets des gares, ainsi que dans les commerces arborant le sigle BVG. Tous les billets (sauf ceux vendus par les chauffeurs) doivent être compostés avant de monter à bord. Les bureaux BVG délivrent des plans gratuits.

FORFAITS

Le billet *Tageskarte* est valable une journée pour un nombre illimité de trajets jusqu'à 3h le lendemain. Il coûte 5,80 € pour la zone AB. Si vous voyagez en groupe, le forfait journalier *(Kleingruppenkarte)* coûte 14,80 € pour 5 personnes. Un forfait individuel de sept jours *(Wochenkarte)* vaut 25,40 €.

U-BAHN

Le meilleur moyen d'arpenter Berlin est l'U-Bahn, dont les lignes sont appelées U1, U2, etc. Elles fonctionnent de 4h à environ minuit et demi, et toute la nuit les vendredis, samedis et jours fériés (sauf la ligne U4). La nouvelle ligne U55 devrait relier Hauptbahnhof et Unter den Linden dès fin 2007.

BUS ET TRAMS

Les bus berlinois passent régulièrement entre 4h30 et

VOYAGER MALIN

L'avion et les vols low-cost s'étant banalisés, peu nombreux sont ceux qui envisagent un autre mode de transport, et tant pis pour l'environnement. Pourtant, selon votre point de départ, il est possible, voire plus simple, de rejoindre Berlin par voie terrestre. Depuis Paris, par exemple, il suffit de prendre un train de nuit à la gare du Nord : vous serez à Berlin pour le petit déjeuner. Des trains de nuit directs partent aussi de Bruxelles, de Zürich et de Bâle.

Plus lent et moins confortable, le bus permet de partir à la dernière minute ou d'une région mal desservie. L'organisation **Eurolines** (www.eurolines.com) rassemble 32 opérateurs de bus européens assurant 500 destinations dans 30 pays, dont Berlin.

minuit et demi. Des bus de nuit prennent ensuite la relève toutes les 30 minutes environ. Des plans des lignes nocturnes sont disponibles aux bureaux BVG, et affichés près des arrêts.

Les trams ne circulent que dans les quartiers est. Les M10, N54, N55, N92 et N93 circulent toute la nuit.

S-BAHN

Les S-Bahn, qui passent moins souvent que les U-Bahn, conviennent mieux aux longues distances, malgré un temps d'attente supérieur. Appelés dans ce guide S1, S2, etc., ils circulent de 4h à minuit et demi, et toute la nuit les vendredis, samedis et jours fériés.

TAXIS

Des taxis attendent aux aéroports, aux principales gares et dans toute la ville. La nuit, ils stationnent souvent devant les théâtres, les discothèques et autres lieux de sortie.

La prise en charge est de 3 € ; comptez ensuite 1,58 €/km jusqu'à 7 km et 1,20 € pour chaque kilomètre supplémentaire. Vous pouvez commander un véhicule au ☎ 0800-222 2255 ou 210 101. Il n'y a pas de supplément pour les trajets de nuit ou les bagages encombrants. Une course d'Alexanderplatz à la gare Zoologischer Garten coûte de 15 € à 20 €.

Pour de courts trajets, demandez le *Kurzstreckentarif,* qui parcourt jusqu'à 2 km pour 3,50 €. Vous devez faire signe à un taxi en circulation et demander le tarif spécial avant que le compteur ne soit allumé. Si la course dépasse les 2 km, le tarif normal s'applique à tout le voyage.

PRATIQUE

ARGENT

Berlin est moins chère que la plupart des capitales européennes. Prévoyez 120 € à 170 € par jour pour un court séjour en hébergement trois étoiles avec trois repas par jour. Les amateurs de luxe paieront facilement le double, tandis que les plus économes se débrouilleront avec 40 €.

Les distributeurs automatiques sont le meilleur moyen d'obtenir du liquide. Les cartes de crédit sont acceptées de plus en plus souvent dans les boutiques et les lieux de sortie du centre-ville, mais elles ne le sont pas partout : renseignez-vous d'abord.

Les taux de change sont indiqués dans la rubrique Bon à savoir derrière la couverture.

CIRCUITS ORGANISÉS

À PIED

Plusieurs agences proposent d'excellentes visites guidées (en anglais), dirigées par des accompagnateurs brillants et parfaitement informés, sur la ville en général ou des thèmes spécifiques.

Certaines sont gratuites (les guides sont payés aux pourboires : soyez généreux), mais la plupart coûtent entre 10 € et 15 €. Vous trouverez des prospectus dans les auberges de jeunesse, les hôtels et les offices de tourisme.

Brewer's Berlin Tours (☎ 0177-388 1537 ; www.brewersberlintours.com). Départ devant l'Australian Homemade Ice Cream Shop au numéro 96 de la Friedrichstrasse (carte p. 43, C2). La visite gratuite de la ville dure 3 heures 30 ; les autres coûtent 12 €.

Insider Tour (☎ 692 3149 ; www.insidertour.com ; 10-15 €). Départ devant le McDonald's sur l'Hardenbergplatz (carte p. 129, E2) ou depuis Coffeemamas sur l'Hackescher Markt (carte p. 63, D4).

New Berlin Tours (☎ 0179-973 0397 ; www.newberlintours.com). Départ de Dunkin' Donuts sur l'Hardenbergplatz (carte p. 129, E2) et de Starbucks sur la Pariser Platz (carte p. 43, B3). La marche de 3 heures 3½ dans la ville et les visites à vélo sont gratuites ; les autres coûtent de 8 € à 12 €.

Original Berlin Walking Tours (☎ 301 9194 ; www.berlinwalks.de ; circuits 9-15 €). Départ de la rangée de taxis sur l'Hardenbergplatz (carte p. 129, E2) et de Häagen-Dazs sur l'Hackescher Markt (carte p. 63, D4).

EN BATEAU

Par une belle journée, le bateau est un moyen très agréable de découvrir les rivières, les canaux et les lacs de Berlin. Vous pouvez choisir entre une promenade d'une heure autour de l'île des Musées (Museumsinsel) en passant par les sites historiques (à partir de 5 €), et des circuits plus longs jusqu'au château de Charlottenburg ou plus loin (à partir de 12 €). **Stern & Kreisschiffahrt** (www.sternundkreis.de) est l'une des principales agences. Ces formules sont proposées d'avril à mi-octobre. Les cartes des chapitres Les quartiers indiquent les embarquements.

CIRCUITS THÉMATIQUES

Berliner Unterwelten (☎ 4991 0518 ; www.berliner-unterwelten.de ; tarif plein/réduit 9/7 €). Cette visite des bas-fonds obscurs de Berlin explore les bunkers souterrains de la Seconde Guerre mondiale, où se trouvent encore des lits d'hôpitaux, des casques et des systèmes d'aération d'époque.

Fritz Music Tours (☎ 3087 5633 ; www.musictours-berlin.com ; 19 €). Pour tout savoir de la fascinante histoire musicale de la ville, d'Iggy et de Bowie aux Studios Hansa et à la Love Parade, cette visite est riche d'anecdotes et épicée de chansons et d'entretiens vidéo. Le propriétaire, Thilo Schmied, est aussi le guide. Lisez l'entretien avec Thilo, p. 106.

Gastro-Rallye (☎ 4372 0701 ; www.berlinagenten.com). Grâce aux guides de cette sympathique bande, vous saurez tout du monde de la gastronomie berlinoise. Le circuit vous emmènera dans les restaurants les plus en vue de la ville où vous dégusterez un plat à chaque étape. Le circuit-dîner de quatre plats coûte de 65 € à 125 €/pers, selon la taille du groupe. Il faut réserver.

Trabi Safari (☎ 2759 2273 ; www.trabi-safari.de ; 2/3/4 passagers 35/30/25 €/pers). Découvrez Berlin-Est à bord d'une minuscule Trabant (Trabi pour les intimes), fierté de l'industrie automobile est-allemande.

ÉLECTRICITÉ

La tension est de 220V/50 Hz. Les prises sont au standard européen (deux trous et une broche ronde).

HANDICAPÉS

Berlin est relativement accessible aux personnes handicapées, en particulier en fauteuils roulants. De nombreux édifices, y compris les gares, musées, salles de concert ou cinémas sont équipés de rampes et/ou d'ascenseurs. Les bus et les tramways sont aussi accessibles aux fauteuils roulants, et de nombreuses stations d'U- /S-Bahn ont des rampes ou des ascenseurs. Pour vous aider à préparer votre voyage, contacter le **BVG** (☎ 194 19, www.bvg.de). En cas de problème de fauteuil roulant, une assistance 24h/24 est disponible au ☎ 0180-111 4747. Location au ☎ 341 1797. Les quais ont des bandes en relief pour les malvoyants. Pour les malentendants, le nom des stations ou arrêts suivants s'affichent dans tous les transports en commun.

Gebus GmbH (☎ 319 8010 ; www.gebus-gmbh.de) propose un service de transport et des visites de la ville.

HORAIRES D'OUVERTURE

Une loi a récemment autorisé les magasins à fixer leurs propres horaires, mais les heures d'ouverture sont généralement de 10h à 20h du lundi au samedi. Les petites boutiques ouvrent vers midi et ferment dès 18h ou 19h, et à 16h le samedi. Certains centres commerciaux ou supermarchés ferment à 21h ou 22h du lundi au samedi. Les magasins n'ouvrent le dimanche que quatre fois par an (les dates varient) et en décembre. Le soir, les gares et les stations-service vendent quelques produits de base. Voir aussi la rubrique Bon à savoir derrière la couverture.

Les horaires hiver/été correspondent respectivement à la période de décembre à mars, et de mai à septembre.

INTERNET

Nombreux sont les auberges de jeunesse, hôtels et cafés équipés d'une connexion sans fil, et vous pouvez surfer gratuitement au Sony Center à Potsdamer Platz (carte p. 81, E2) ; le site www.hotspot-locations.com indique d'autres adresses.

La chaîne easyInternetcafe est présente à Kurfürstendamm 224 (carte p. 129, E3), au Sony Center (carte p. 81, E2) et à Rathausstrasse 5 près d'Alexanderplatz (carte p. 57, C2). Horaires : de 6h à minuit.

Quelques sites pour préparer votre voyage :

Berlin Hidden Places (www.berlin-hidden-places.de). Quelques idées pour sortir des sentiers battus.

Gridskipper (www.gridskipper.com/travel/berlin). Guide sous la forme d'un blog pour découvrir Berlin hors des sentiers battus.

Berlin Tourism (www.visitberlin.de). Site officiel de l'office du tourisme.

Berlin TV (www.visitBerlin.tv). Chaîne de télévision en ligne, renseignements touristiques 24h/24 tlj, et vidéo à la demande.

JOURNAUX ET MAGAZINES

Berlin compte cinq quotidiens locaux : *Der Tagesspiegel* (www.tagesspiegel.de) et le *Berliner Morgenpost* (www.morgenpost.de), plutôt centristes, le *Berliner Zeitung* (www.berlinonline.de/berliner-zeitung) et *taz* (www.taz.de), de gauche, et enfin *BZ* (www.bz-berlin.de), journal à sensation. *Zitty* (www.zitty.de), *Tip* (www.tip-berlin.de) et *Prinz* (www.prinz.de/berlin), sont les trois meilleurs journaux pour les sorties, mais *030* (www.berlin030.de), un gratuit, est également très populaire auprès des Berlinois. Gratuit également, *Siegessäule* (www.siegessaeule.de) est la référence de la communauté homosexuelle berlinoise. *ExBerliner* (www.exberliner.de), magazine en anglais pour voyageurs et expatriés, publie souvent de bons articles et essais ainsi que les programmes des sorties.

JOURS FÉRIÉS

Neujahrstag (Nouvel An) 1er janvier
Ostern (Pâques) mars/avril – vendredi saint, dimanche et lundi de Pâques
Christ Himmelfahrt (Ascension) 40 jours après Pâques
Maifeiertag (fête du Travail) 1er mai
Pfingsten (dimanche et lundi de Pentecôte) mai/juin
Tag der Deutschen Einheit (Fête de l'unité allemande) 3 octobre
Weihnachtstag (Noël) 25 décembre
2. Weihnachtstag (Saint-Étienne) 26 décembre

LANGUE

PHRASES-CLÉS

Bonjour.	*Guten Tag./Hallo.*
Au revoir.	*Auf Wiedersehen.*
Excusez-moi/ désolé(e).	*Entschuldigung.*
Oui.	*Ja.*
Non.	*Nein.*
S'il vous plaît.	*Bitte.*
Merci (beaucoup).	*Danke (schön).*
Je vous en prie.	*Bitte schön.*
Parlez-vous anglais/ français ?	*Sprechen Sie Englisch/ Französich ?*
Je ne comprends pas.	*Ich verstehe nicht.*
Combien cela coûte-t-il ?	*Was kostet es/das ?*
C'est trop cher.	*Das ist zu teuer.*

SE RESTAURER ET PRENDRE UN VERRE

C'était délicieux !	*Das war sehr lecker!*
Je suis végétarien(ne).	*Ich bin Vegetarier(in).*
L'addition s'il vous plaît.	*Die Rechnung, bitte.*

Saucisse au curry	*Currywurst*
Rôti de porc	*Schweinebraten*
Filet de perche	*Zanderfilet*
Pâte fine garnie de crème, d'oignons et de bacon	*Flammekuche*

URGENCES

Je suis malade.	*Ich bin krank.*
À l'aide !	*Hilfe !*
Appelez la police !	*Rufen Sie die Polizei !*
Appelez une ambulance !	*Rufen Sie einen Krankenwagen !*

JOURS ET CHIFFRES

aujourd'hui	*heute*
ce soir	*heute Abend*
demain	*morgen*

1	*eins*
2	*zwei*
3	*drei*
4	*vier*
5	*fünf*
6	*sechs*
7	*sieben*
8	*acht*
9	*neun*
10	*zehn*
11	*elf*
12	*zwölf*
13	*dreizehn*
20	*zwanzig*
21	*einundzwanzig*
22	*zweiundzwanzig*
30	*dreizig*
31	*einunddreizig*
40	*vierzig*
50	*fünfzig*
60	*sechzig*
70	*siebzig*
80	*achtzig*
90	*neunzig*
100	*hundert*
1 000	*tausend*

OFFICE DU TOURISME

L'office du tourisme local, le **Berlin Tourismus Marketing** (BTM ; www.visitberlin.de), dispose de quatre guichets, appelés Berlin Infostores et d'un **centre d'appels** (☎ 250 025 ; 8h-19h lun-ven, 9h-18h sam et dim). Ils proposent des informations en plusieurs langues et peuvent se charger des réservations d'hôtels et de billets. D'avril à octobre, ils ferment plus tard (généralement 20h).

Berlin Infostore Porte de Brandebourg (carte p. 43, A2 ; aile sud ; 10h-18h ; Unter den Linden)

Berlin Infostore Hauptbahnhof (carte p. 77, B3 ; Europaplatz sortie nord ; 8h-22h ; Hauptbahnhof)

Berlin Infostore Neues Kranzler Eck (carte p. 129, E2 ; Kurfürstendamm 21 ; 10h-18h ; Kurfürstendamm)

Berlin Infostore Pavillon am Reichstag (carte p. 77, C6 ; Scheidemannstrasse ; 10h-18h ; 100)

POURBOIRES

Porteurs	1 € par sac
Restaurants	10%
Taxis	5-10%

RÉDUCTIONS

La plupart des musées et des sites touristiques pratiquent des tarifs réduits pour les enfants (l'âge varie), étudiants, seniors, handicapés et familles. Les cartes de réduction suivantes (en haut de page) sont valables à Berlin pour tous les âges.

Berlin WelcomeCard (www.berlin-welcomecard.com ; 16/21 € pour 48/72h). Accès illimité aux transports dans la zone AB, et jusqu'à 50% de réduction pour 130 sites et visites guidées. Vendue dans les Berlin Infostores (voir Office du tourisme, ci-contre), aux distributeurs des U-Bahn et S-Bahn, aux guichets BVG et dans de nombreux hôtels.

CityTourCard (www.citytourcard.de ; 14,90/19,90 € pour 48/72h). Transport et petites réductions pour une vingtaine de sites et de visites guidées à Berlin. Vendue dans certains hôtels, aux guichets BVG et dans les distributeurs des U-Bahn et S-Bahn.

SchauLust Museen Berlin (adulte/enfant 15/7,50 €). Cette carte donne accès à 70 musées pendant trois jours ouvrables consécutifs ; disponible aux Berlin Infostores et dans les musées participants.

TÉLÉPHONE

L'Allemagne est passe par le réseau GSM 900/1800, compatible avec les portables utilisés dans le reste de l'Europe, mais pas avec le système nord-américain. La plupart des cabines fonctionnent uniquement à carte. Pour les appels locaux ou nationaux, les cartes téléphoniques de Deutsche Telecom sont intéressantes ; en revanche, pour passer des appels longue distance ou internationaux, d'autres marques sont meilleur marché. Comparez les prix auprès des vendeurs de journaux, dans les boutiques de téléphone ou dans les bureaux de change Reisebank, présents dans les grandes gares dont la Zoologischer Garten (Bahnhof Zoo), l'Hauptbahnhof et l'Ostbahnhof.

Les numéros de téléphone importants et utiles sont indiqués dans la rubrique Bon à savoir derrière la couverture.

URGENCES

Appelez le ☎ 110 pour joindre la police et le ☎ 112 pour une ambulance. Quelques numéros et adresses utiles :

Ligne d'assistance internationale (☎ 4401 0607 ; 18h-minuit). Numéro anonyme géré par des volontaires pour toute situation de crise.

Service des objets trouvés BVG (carte p. 143, C4 ; ☎ 194 49 ; Potsdamer Strasse 180/182 ; 9h-18h lun-jeu, jusqu'à 14h ven ; Kleistpark)

Call-a-Doc (☎ 01804-2255 2362). Aide médicale hors urgences.

Ligne d'urgence pour les victimes de viol (☎ 251 2828, 615 4243 ou 216 8888)

>INDEX

Voir aussi les index des rubriques Voir (p. 196), Shopping (p. 197), Se restaurer (p. 198), Prendre un verre (p. 199), Sortir (p. 200) et Se loger (p. 200).

Pages des cartes en gras

Pages des cartes en gras

VOIR

SE RESTAURER

PRENDRE UN VERRE

SORTIR

SE LOGER